生と死はメビウスの輪

ジン・プランク

東京図書出版

まえがき

わたしは三十路になってから囲碁を覚えました。ネット囲碁のない時代ですので、碁会所に行ってみました。初心者を相手にしてくれる人がいないものですから、店主は「相手をしてやってくれ」と、五十代と思われる男に声を掛けてくれました。白髪交じりのボサボサ頭に、失礼ながらヨレヨレの薄汚い服装の、ブスっとした表情の人でした。井目のわたしに半分（いや、ほとんど）眠ったままで相手をしてくれました。と、そこに多分その男のおかみさんであろう人から電話があり、どうやら碁会所通いの亭主への苦言たらたらの様子でした。男は言い訳もしないで、無言で受話器を握ったままでした。想うに、どこにいても誰からもいい加減にしか扱われていない男で、ただ、ここ囲碁の世界だけが彼を認知してくれる場所なのでしょう。男にとって、碁会所にくれば自分の存在を認識できるだけに、居心地が良いのです。

仕事で知り合った中に、全身これ刺青という人がいました。刺青に興味を示したわたしに、分厚い刺青図鑑数冊を貸してやるから持っていけといいます。腕やら背中やらと自慢の刺青を一通り見せたあと、尻まであるから見るか、ときました。それは遠慮させていただきましたが、彼のいうことには、尻は神経が集中している箇所だから、そこに刺青を入れるということは「男の中の男」であるという証拠なのだそうです。

碁会所の男や刺青男は、囲碁や刺青に自己の存在証明＝アイデンティティーを見出しているのでしょう。「生」を受けたものは、動物であろうと植物であろうと、押し並べて「生」を全うするようにインプットされています。わたしたちの日常を振り返ってみましても、道理の通らない、自分の思い通りにいかない事柄でいっぱいです。わたしたちは不条理だらけの世界に生きているのです。それなのに、「生」を全うするように仕向けられている。どうしろというのでしょう。まずもって必要なものが、碁会所男や刺青男が有しているようなアイデンティティーです。揺るぎない、岩盤に根をはる存在の自覚です。

ところが、わたしにはかようなアイデンティティーがありません。もがいたわたしが目をつけたのが、わたしを取り巻く環境です。例えていいますと、法治国家における各法律が、先に述べたアイデンティティーであり、憲法に当たるその枠組みを知りたいと思ったのです。そして自己を認識するに、あらゆる存在者が存在者として持つ共通の特徴やその根拠を考察する「存在論」に興味がゆきました。電車に乗っているわたしがいて、駅に到着してドアが開き、乗降客が入り乱れる。見ているわたしにとって、このことが真実であると肯定する認識、これで良いのではないか。2と3を足したら5になる世界にわたしは居るのだ。そう考えたわたしは、真理の探究には自然科学が最も自分に適していると思いました。中でも、自分をも含めてすべての環境を構成している「実体」を探求する物理学。ここに自己の存在を確かめさせてくれる何かがあると思いました。一般向けに書かれた書ばかりですが、とても興味がありました。「臨死体験」を扱った書に衝撃を受け、量子物理の不思議な世界を知り、超常現象へと回帰したところ、それらが関連しているのではと、想像は広がっていったのです。

未だアイデンティティーを持つまでには至っておりませんが、わたしを取り巻く環境の「からくり」を、自分なりに掴めた気がします。すると、世の不条理を受け入れることができるようになり、不条理の中にいる自分という存在も肯定できるのです。古希を過ぎて、「生」を全うする道筋が見えてきました。世の不条理に憤り、生きることに嫌気がさしている方、未知の死に不安を抱いている方、この書が「生」を全うする後押しとなってくれれば幸いです。

春弥生、暖かい日差しの穏やかな朝、庭の踏み石からポチがひょいと顔を出しました。ポチという名前ですが、れっきとした猫です。近親相姦が原因なのでしょう、生まれつき左目がつぶれている、白と黒の毛並みがまさに犬のポチと瓜二つの猫です。まだ赤ちゃん猫の時代に捨てられていたのを、道路を隔てた向かいの家が引き取って育てたのです。大柄の血統なのでしょう、今では子犬ばりの体格でありながら、とても素早い動きをします。ときには道路の真ん中に寝そべって、車の往来を邪魔していながら平気な態度です。仕様がないなあと、車から降りてきて抱き上げ、道路脇にやる光景を何度も見ました。外気が好きなのか、日がな一日外にいます。そんなポチですが、わたしの小さな孫が家に来た時には、どこで感知するのか、すぐに挨拶に訪ねてくれるのです。まだちいさな孫ですから、扱い方が乱暴なのですが、ポチは全てをわきまえていますよといわんばかりに接してくれます。しばらく遊び相手を務めた後は、もういいだろうとばかりに去っていくのです。そんなポチですから、わたしはとても気に入っています。
ガラス戸越しに踏み石から部屋の中を覗いているポチを、戸を開けて中に招き入れます。ポチは身軽にひょいと入り込み、わたしの横に並んでしゃがみ、わたしと同じように黙って春の陽ざしに照らされた小さな庭を眺めています。人と猫なのに、なにかしら同じ思いを抱く同輩の感じなのです。動物を人間視するのは現実的でないと心得ていますが、春の陽ざしを浴びて、ただボーッとしている気持ちの良さを共鳴している感覚、これは確かです。

猫とのこうした共感を体験したことが、十年ほど前にもありました。野良猫の「良太」です。良太という名前はわたしが勝手につけたのですが、この猫もポチ同様に実に気に入っていました。もとは飼い猫だったであろうと思います。野良猫特有の警戒心がありませんし、おっとりした性格はとても野良では育むことができません。白と薄い茶色のブチで、ポチと同じように大型猫でした。顔も不細工ながらその大きさだけはどの猫もそれこそ顔負けでした。おまけにケンカが滅法強い。強いというより、対峙しただけで相手が「負けました」としっぽを巻いて逃げてしまうほどでした。親しくしている近所の方が子猫を貰ってきたのですが、なにせ小さいのに気が強い無鉄砲な性格の子猫でしたから、野良猫が近づくとちょっかいをだす。相手の野良は生意気なヤツだといじめるわけです。そこに良太が現れる。いじめられている子猫の脇に来るだけで、相手の野良は引き下がるのでした。猫の世界でもいわゆる威厳といったものがあるのでしょうか。見事なものでした。そんな良太ですが、唯一どうにもならないのがその汚さでした。野良猫ですから汚れているのは致し方ないとして、皮膚病がひどかった。とても手で触れるなんてことはできないほどでした。寄ってくればこちらが距離をとり、好きな牛乳を皿に盛ってそっと脇においてやる。良太は心なしか、寂しそうな様相を見せながらそれでも美味しそうに牛乳を舐めるのでした。守ってやった子猫が部屋に入りたがると、ガラス戸を開けて入れてやります。続いて良太も当然のごとく入ろうとするのですが、無情にも「ダメ！」の一言でガラス戸を閉めます。良太はデカイ顔の鼻先で閉まるガラス戸に触れると、何の抵抗も示さないでそっと降りるのでした。鳴き声ひとつあげません。こうした仕打ちはわたしだけではありません。みんな良太が気に入っているのですが、ひどい皮膚病ですから、家の中には入れません。ただ、「うちの野良」といって、餌だけはそっとあげていました。

その良太の最期がまた印象深いのです。しばらく見ていないなあと近所でも話題になって、わたしももう亡くなったかなと思っていました。ところがある朝、ふらつきながら、よたよたと良太が家の車庫に現れたのです。おおっと思わず声をあげてしまいました。ところがよく見ると、すっかり痩せてはしまいましたが、なんとあの皮膚病がきれいになっているではありませんか。こんな状態なら撫でてあげてもいいかなと思う程です。一体どうしたというのでしょう。嬉しくなったわたしは急いで良太のすきな牛乳を皿に盛り、傍らに「飲みな」って置いたのです。でも、いつものように嬉しそうに舐めはしません。それどころか、皿の牛乳をじっと見つめているだけで、口をつけようとしないのです。やがて、わたしを見上げて、良太がふらつきながら外へ歩いて行きました。それが良太の姿をみた最後となりました。

今にしてみれば、わざわざお別れの挨拶をしに来たとしか思えません。これも、動物を自分なりの解釈で人格化しているからなのでしょうか。それにしても不思議な思いです。そもそも動物が「死」を意識するでしょうか。動物行動学者で超常現象に造詣があるライアル・ワトソンが、象の不思議な能力を記述していますが[1]、これから迎える自己の「死」を認識した行動についてのものはありません。目に見える証拠が全く消えてしまった後に、家族やたとえ見知らぬ象のものでもその死んだ場所を特定する能力はあるようです。それは痕跡を探り当てることができるという、人間にはない特別な能力であっても、その後に続く死を意識している行動とは言えません。ワトソンは「我々は生きるがゆえに死ななければならないという事実を意識し恐れるのは、人間だけの苦痛であるようだ。他の種族にはこの自意識はないが、決して死の状態に気付いていないわけではない。[2]」といっています。例えば、「ある飼いならされた雌のチャクマヒヒの子供を治療するために母親から引き離し、治療したが亡くなってしまった。死んだ子のヒヒをまだおろおろしている母親に引き渡すと、それまで三日間も絶え間なく泣き叫んでいた母親は、チャクマヒヒ特有の愛情を込めた声を出しながら死体に近づき、それに二回ほど手で触った。それから、死んだ子ヒヒの背中に顔を近寄せ、いつものように唇を動かしながら皮膚に口を触れた。そしてその直後に立ち上がり、立て続けに声を発すると、隅へ歩いて行って陽だまりに静かに座り、明らかに死体にはもう興味を示さなかった。」のです。動物学者ワトソンは、「動物の子供の死は、それを傍観する人間と同じように、その母親にもはっきりと分かったのだ。しかしそれは、恐れを起こさなかったように見える。著しい変化は起きたが、その反応はいずれの場合にも、対象への興味の喪失である。」と結論づけています(3)。

＊

「今やっていることが自分で分かっている状態」を意識と言います。似た概念に「精神」がありますが、このふたつは使い分けなければなりません。精神をわたし流に定義しますと「今日の行動を省みて、明日の行動に活かそうとする心の状態」を指して言います。つまり自らを省みて「反省」できる思考です。それともうひとつ、「感動」することができるということです。この「反省」と「感動」が精神の有無を証拠立てる二大要素だと考えます。こうした「精神」は人間に特有なものであって、動物やその他の種にはないものです。サルの行動を観察した記録に、下っ端のサルが食べ物を一時的に隠しておいて、ボスがいなくなってから食べるというのがありますが、これは精神からくる行動ではなく、体験に基づく知恵です。せっかく手にした食べ物をボスに略奪されたことを「反省」して隠しているのではありません。より高い次元に自分をもってゆこうとして自分を省みる内面の思考、これが精神です。

「死」にたいする恐怖や心構えは、精神の為せる業です。動物は死にたいして恐怖を感じないし、準備をすることもないのが、動物に精神がないことの証左です。ですから、良太が死に際にわたしに見せた行動は「死を迎えるにあたっての挨拶」ではないのです。とはいえ、たとえ動物の良太であっても、精神が有ろうが無かろうが、生きていた状態から全く次元の異なる状態へと変化したことは確かです。良太はいったいどうなったのでしょう。

わたしたちは精神を有するが故に、こうして「生」と「死」を思考するのです。未知の「死」を恐れるのも精神があるからです。こうした恐怖をなんとか払拭しようとすることから宗教が登場します。もちろんながら、宗教の役割は死後の世界だけではなく、日常の「生」を全うするのに心強いバックボーンを提供してくれるという面もあります。知人の仏僧が言うには「天国」も「地獄」も死んでからの世界ではない、生きているこの世のことを言っている。一生懸命に生きていれば、明日は必ず良いことがあり、人を悲しませたりすれば明日は自分が悲しむようになる、という教えを指していると言います。因果応報を、誰にでも分かり易く説くこの世の説法です。法事等を通じて、一族が一堂に集まる儀式も、ご先祖さまが設けてくれた有難い機会なのだとしています。世俗のヒトは、そうでもなければ顔を会わせることもないでしょう。かように、生きるときの節目を設定することで、心に張りを与え生きるエネルギーを注入しているのです。精神を有する人間であるが故に、礼拝等を通じて日々の暮らしに活力を付与しながら生を全うすべく生活を続けているのでしょう。

日々の生活はこうしたもので別に疑問もなく過ごせるのですが、不治の病などで突然「死」を宣告された場合はまた特別です。日常は宗教の教えを信じて、あるいは自信に満ち溢れて生活していた人でも、それまでの信心や自信はどこへやら、ひとりの人間としての本領が頭をもたげてくるのです。スイスのチューリッヒ生まれで、アメリカの病院で活躍した精神科医のエリザベス・キューブラー・ロスは、その間を巧みに表現しています(4)。末期ガンなどで医師に「死」を告知された患者のその後の精神の変化を詳細に観察した記録です。「死」は程度の差はありますが、いまだに万国共通の恐怖であることに変わりはありません。人は無意識のうちに、自分の死を予測することをしないで、ひたすら不死身を信じて生活しています。自分は死なないが、隣人が死ぬことは想像できる。死んだのは「隣のやつで、おれじゃあなかった」と、心の片隅でそっと喜んでいる、という程度でしょう。それだけに、「死」を身近に受け取らざるを得ない状況に遭遇すると、ほぼ一様な状態を呈し、その変化を五段階に区分して彼女は説明しています。

第一段階が「否認」です。ほとんどの人は不治の病であると知ったとき、「いや、自分のことではない。そんなことが自分にあるはずがない」と思うのです。予期しないショッキングな知らせをうけたときにその衝撃を和らげるものとして、この否認という機能があるのだそうです。この否認を維持できなくなると、第二段階の「怒り」へと移行して、怒り・激情・妬み・憤慨といった感情に取って代わる。必然的に「どうして自分なのか」という疑問が頭をもたげるのです。この怒りは見当違いにあらゆる方向へと向けられ、あたりかまわず周囲に当たり散らすようになります。非情な事実を直視できない「否認」。自分以外の人間や神に対して怒りを覚える「怒り」。しかしその後には、こうした避けられない結果ならば、どうかして先延ばしできないかと、願う。これが第三段階の「取引」です。息子の結婚式まで、あるいは遣り掛けた仕事が成就するまで、などです。ほとんどの取引の相手は神です。「よい行いをする」ことへのご褒美に期限を限る延命となります。

末期患者ともなりますと、いろいろな症状が出てきます。体力が衰え、身体も痩せてきます。そうしたことによって、もはや自分の病気を否定できなくなると、絶望・焦燥・悲哀といった「抑うつ」状態となります。これが第四段階です。この「抑うつ」状態を招く原因に違いがありまして、自分が死んだら小さな子供たちはどうなるとか、家計はどうなるなどが原因となるもの、もうひとつはこの世の永遠の別れのための心の準備をしなければならないという深い苦悩がその原因というものです。前者の抑うつ状態では、生活上の問題が解決されると、とたんに患者の抑うつが晴れるといいます。後者の心の準備はちょいと問題でして、わたしがこの文章を書く基底にある問題なのです。

第五段階が「受容」です。結局は死を受け入れるのですが、この感情が言い表し難いので、著者の言を引用しますと次のようになります(5)。「患者はある程度の期待を持って、最期の時が近づくのを静観するようになる。患者は疲れ切り、たいていは衰弱がひどくなっている。まどろんだり、頻繁に短い睡眠を取りたくなる。だがそれは抑うつのときに欲する眠りとはちがって、回避のための眠りでもなければ、痛み・不快感・かゆみを忘れるための休息でもない。しだいに長い時間眠っていたいと思うようになる。それは新生児の眠りにも似ているが、最期の時へと近づく眠りなのである。『どうにもならない』『もう闘う力がない』といった意味の言葉を耳にすることもあるが、それはけっして諦念的・絶望的な『放棄』を表しているのではない（そのような言葉からは病気との闘いが終わりに近づいたことがうかがわれるが、だからといって受容を意味するものではない）。

受容を幸福な段階と誤認してはならない。受容とは感情がほとんど欠落した状態である。あたかも痛みが消え、苦闘が終わり、ある患者の言葉を借りれば『長い旅路の前の最後の休息』のときが訪れたかのように感じられる。そしてこの時期は、患者自身よりもその家族に、多くの助けと理解と支えが必要になる。死に瀕した患者は、いくばくかの平安と受容を見出すが、同時にまわりに対する関心が薄れていく。一人にして欲しい、せめて世間の出来事や問題に煩わされたくないと願う。」こうした状態だと説明しています。

エリザベス・キューブラー・ロスが説く五段階は、病院での不治の病による末期患者を代表例としたものです。しかも、対象者は彼女のインタビューの後の数時間か数日後には実際に亡くなっています。これに対して突然の死に瀕し、生還した者の供述は異なっているのです。アルベルト・ハイムというスイスの地質学者が一八九二年、アルプス登攀中に山から転落した際に体験した内容が特異であったため、彼同様に登山中の転落事故から生き延びた三十人から情報を集めて検討した結果、みな同じような体験をしていることに気が付き、それに基づいて本を出版しました。その中で彼は死の直前の数秒間を、死への過程として三段階に分けています。(6)

転落が始まった瞬間の最初の反応は、危険を避ける努力であり、避けられない運命から逃れる闘いです。これは、一面では、熱いストーブから手を引っ込めるのと同じような、純粋に肉体的な反射作用です。一方、危険に身を任せてしまいたいという奇妙なあこがれに抵抗する激烈な心理的闘争でもあるといっています。ここまでが第一の段階で、転落者がもがいても無駄なことを知って、死が確実なことを認めたときに第二段階が始まります。このとき、こころの分離した状態が当事者にもたらされ、妙な見当違いの想いにとらわれていくのです。ある登山者は、つまらない悩みや投機の儲けのことさえ頭に浮かんだといっています。高速運転中の車から放り出され、真っ逆さまにハイウエイへ転落した学生は、転がりながら破れが見えた新しいコートのことがまず気になり、次に最終戦で負けそうだとカー・ラジオが放送していた母校のフットボール・チームのことが気になったそうです。崖から落ちた少年が、新しいポケットナイフを失くしはしないかということだけを心配したという例もあります。こうした気まぐれの想念に次いで、生涯の典型的回想が始まります。過去に経験した場面が目の前に次々とパノラマのように展開されるのです。

最後に、瞬間的な回想が止んで、異常な神秘的状態へと移ります。第三段階です。恍惚境を経験するのです。著者のハイムは「山で死んだ人々は、最後の瞬間に、各自の過去を変容されたかたちで回想する。肉体的な苦痛を超越して、高貴にして深遠な思想、天国からの楽の音、そして、平和と和解の感情の中に沈潜する。彼らは、青くバラ色の、壮大な天空を落ちてゆき、そして、すべてが静止するのである」としています。

この第二段階の後半部分、パノラマを見ているような生涯の回想と、第三段階の恍惚とした心地よい気分を体験するという状態は、じつは、臨床的には「死んだ」と判断された後に「生き返った」とされる人々の話と共通するものなのです。臨死体験と訳されているニア・デス体験（Near-Death Experience）です。医学博士であるレイモンド・A・ムーディ・ジュニアが一九七五年に*LIFE AFTER LIFE*（『かいまみた死後の世界』[7]）を出版しますと、たちまち全世界のベストセラーとなりました。実際にはよくある出来事でありながら、タブー視されていて日の目をみなかった分野ですから、各方面からの批判も沸き起こりました。死後の生命に関する問題は、従来通り全面的に信仰に帰すべき問題であって、何人といえども疑問をさしはさんではならないのだ、と愚直に信じ込んでいる宗教関係者。「非科学的だ」と一笑に付す科学者と医師。神秘主義者の言うことだとする一般の人々もいました。しかし、生体臨床医学がますます洗練されてきたおかげで、これまでなら死亡していた患者が数多く蘇生するようになりました。こうした患者の三分の一ほどが医療従事者に話すその体験が、あまりにも首尾一貫しているうえ、体験者にとってとても現実的であるため、医学界はそれを無視するのがますます難しくなってきました。そんな背景もありまして、臨死研究が真剣な科学的研究の一分野として確立されると同時に、一九八一年、コネチカット大学に国際臨死研究学会（IANDS）が設立されました。学術雑誌『アナバイオシス』（現臨死研究雑誌）やニューズレターをはじめ、この学会の専門家会員によるさまざまな企画や発表や出版物を通じて、ニア・デス体験（NDE）の現象学や意味や応用に関する幅広い学術研究が行われてきているのです。

ニア・デス体験とは、どんな現象なのでしょうか。人が死にそうになったとき表われる顕著で一貫している経験にはある型があり、今後展開する説明の便宜を考えて、こうしたニア・デス体験の型をケネス・リングに倣って、コア（核）経験と呼ぶ[8]ことにします。コア経験は五段階に分けることができ、段階が進む程度で、コア経験が深くなるとします。一九七七年の五月から一三カ月、ケネス・リングは一〇二人にインタビューをして調査しました。そのうち、五二人が重病で、二六人が事故で、二四人が自殺未遂で死にかかった人たちです。回答者は性別、人種、結婚の有無、宗教的背景、教育的背景、年齢等で偏りなく幅広いニア・デス体験者を対象としたものです。わたしが参考とした著者は心理学者であるケネス・リング[9]、心臓の専門医のマイクル・B・セイボム[10]、超感覚的知覚を扱った論文で博士号を得た数少ない心理学者のひとりであるカーリス・オシスとエルレンドウール・ハラルドソンです[11]。

ケネス・リング同様にマイクル・B・セイボムは一〇〇名のニア・デス体験者その人自身にインタビューをしました。ですからふたりとも、臨床的死から生還して死亡しなかった体験者への調査です。一方、カーリス・オシスとエルレンドゥール・ハラルドソンは、ふたりとも死後生存仮説の提唱者ですので、ニア・デス体験者のみの調査では的が外れてしまいます。実際に死亡した人を対象者としなければなりません。そこで彼らがとった手段は本人に関わった医師・看護師にたいするインタビューであり、対象者の大半がそのまま死亡していますが、その死亡直前の様子・発した言葉です[12]。しかも、他のニア・デス体験研究者と異なり、文化・国民性の相違がどのようにニア・デス体験に影響があるかということで、アメリカ合衆国とインドの両国で調査をしています。一〇〇〇名もの人にインタビューをし、一〇年掛けてした調査の結果なのです。先ほど掲げたムーディ[13]と、ここに挙げた四人を一挙に紹介したのは、研究結果としてほとんど同じ結論を出しているからです。殊に、超感覚的知覚を扱う心理学者で死後生存説を唱える著者の研究と、ニア・デス体験者を対象とした医学博士の研究とがほぼ一致した結論となっていることは、とても興味あることです。さような理由から、これから述べる内容と数値は、代表例としてケネス・リングの著書によります。他の著者を引用する場合にはその都度注釈をつけます。

ニア・デス体験の最初の段階で強調されるのは、説明の仕様がないというほどの安らかで満ち足りた感情です。回答者のほぼ六〇パーセントがこの種の経験を認めています。コア経験体験者だけに限れば四九例中三五例、つまり七一パーセントが、自分たちの経験の感じをはっきり安らかさ、あるいは静けさという言葉で表しています。心肺停止に陥った女性、自殺しようと海に身を投げて波の力でひどく岩にたたきつけられた女性、カー・レース・ドライバーの男、四一・六度の熱を出して死にそうになった男、首をくくろうとした男、心臓麻痺に襲われた六〇歳の婦人、皆一様に絶対的な安らかさを感じているのです。

コア経験の第二段階は、物理的肉体から抜け出る感覚です。ケネス・リングが調査した事例の一六人、三七パーセントがこの段階に達しています。「自分が同じ部屋の天井近くの隅にいて、自分の物理的肉体を見下ろしている」というのがもっとも典型例です。首をくくろうとした男の話を引用します。「私は、自分がその場を立ち去ろうとしているのを見たのを憶えています。まわりは完全に真っ暗でした。それなのに私は、自分が歩いていくのが見えたのです。私は去年買ったこのグレーのスーツを着て（首をくくったときの彼は、実際には違う服装だった）、自分が首をくくった場所から立ち去ろうとしていたのです。そして、その服装で、そこから、首をくくっている自分を見ることができたし、それを見ている自分も見ることができたのです。同時に、ほかの人がいるのも多少見えたように思います。」最も一般的には、肉体から抜け出た経験を持った人は、ただ自分の肉体の物理的位置の上から（しばしば部屋の高い隅あるいは天井から）自分の身体を見たというのがそれです。肉体から抜け出す経験に付随する典型的な精神状態として目立つ特徴は、傍観者的な超然感であることが判明しております。

こうした肉体から抜け出る経験で興味あることは、肉体から抜け出たとき、型通り「別の肉体」を持ったと意識しているか否かということです。体験者のほとんどは、ただ自分の前の（あるいは下の）光景がわかっただけであり、別の肉体を持った気はしなかったし、実際には「心だけ」が別にあったような気がするとだけ答えています。ただし、肉体から抜け出る体験をした一六例のうち、二例が「第二の肉体」を持った感じがした、と答えています。ただ、その肉体は自分の身体とは全然似ていなかったし、いいようもないほど軽かったといいます。オカルト文献や肉体から抜け出た経験についての文献では、しばしば「へその緒」のようなものが二つの肉体をつないでいるという話がありますが、ケネス・リングがそのことを聞いた結果は、ひとりも肯定的な答えをした者はいませんでした。

コア経験の次の段階は、この世と、その先にある世界との間の過渡的な世界に入ることになるようです。真っ暗か非常に暗くて、とても安らかで、大きさの分からない空間として描いています。この空間の中を、ごく少数がものすごい速さで動いたように感じたとしていますが、大多数の回答者はこの中を浮いたように、あるいは漂うように通過したと感じています。ケネス・リングはこの段階を「暗闇に入る経験」と呼んでいますし、レイモンド・ムーディは「トンネルに入る経験」と呼んでいます。この暗さは、一生の間にこんな暗さっていうものは見たことがない、と体験者がいうほどのものです。

コア経験の三番目の段階から四番目の段階への移行は、ただひとつの特徴によってはっきりしています。光が現れるのです。大体はきらきら輝く金色の光だと説明されています。しかしながら、この光は眩しくて目を傷めてしまうような光ではないのです。それどころか、非常に安らかで、気持ちを慰めてくれる言いようのない美しさを持っているのです。回答者の幾人かは、この光に包まれるのを感じたといっています。回答者の一六人、全体のおよそ三分の一がこの光を見たと答えています。この光は、単に遠くのほうから招くだけでなく、愛おしむようにとしかいいようのない形で、その人を包むのです。

そして最後の五段階目では、四段階目に現れた光の光源があるらしい「世界」へ入ってゆく経験となります。この段階に達した人は一様に別の世界、不思議に美しい世界だといいます。人によっては花園であったり牧草地であったりと多少の違いがありながら、その色彩等は経験したことのない、忘れ難いものだといいます。自然らしい環境のようにみえますが、この世のものと何ひとつ一致してはいないのです。この段階で、回答者たちが死んだ縁者に迎えられたといっている場面になります。美しい花を見たとか、素晴らしい音楽が奏でられていたとか表現され、この段階を体験した人たちは、「生き返った」ことを恨めしく思うといいます。しかしながら、この世界には長く留まってはおらず、ほんの少しだけそこにいた、ということなのです。ある体験者は、自分が「来世」と感じた世界を「一目」見ることができただけだといっています。こうした「あの世」的イメージの更に細かい部分は、コア経験者のそれまでの経験によって変わるようですが、輝き、鮮やかな色彩、安らぎ、調和、この世のものならぬ美しさといった代表的特徴は、キリスト教徒であれ、ヒンズー教徒であれ、あるいはユダヤ教徒であれ、イスラム教徒であれ、それとは無関係に広く見受けられるもので、共通した象徴として現れるもののようです[14]。

コア経験の最深部では、ある存在に気付くことがあります。それは見たというのではなく、推量によるか直観によって、感じられるだけのようです。言葉で話すのではなく、「精神的に伝わる」というか、意識が直接理解できるといったものです。オシスとハラルドソンの書では、この現象を「霊姿」と呼称して、基本的特徴を挙げています[15]。大半（三分の二）は、生者ではなく死者の霊姿であり、健常者の見る幻覚とは逆である、としています。霊姿の主目的は、コア経験者を別の存在界に移行させることのようです。この目的は、もっぱら死者の霊姿および宗教的人物によって表明されます。時間は約半数がせいぜい続いて五分と短時間ですが、一七パーセントは六分から十五分持続しています。この霊姿を見てからその人が死亡するまでの時間は、大半は直後に亡くなっていますが、二七パーセントが一時間以内に、二〇パーセントは一時間から六時間の間に死亡しています。[16] この霊姿という存在が誰なのかという問題では、体験者の文化的背景がどうも関与しているようです。アメリカ合衆国では大半が身近な親族であるのに対し、インドでは宗教的人物を見たという体験者が圧倒的に多かったのです。

興味ある事柄として、こうしたコア経験者の最終段階で、アメリカ合衆国では霊姿と一緒に行きたいと望む者がほとんどなのに対し、インドでは三分の一の者が呼ばれても行くことを望まなかったのです。一般的にはあの世の使いが現れると、体験者側には陽性感情、特に心の安らぎとなごみ、宗教的感情、急激な歓喜といったものが現れます。それまでは沈み込んで抑うつ状態にあったのに、霊姿を見てからは「リラックスして、幸せそうになり、とてもにこやかで元気になり」、三時間後に死亡した、[17] と報告されているのです。行きたくないというインドでの陰性感情の大半は抑うつ、恐怖、不安からくるもので、ヒンズー教徒はヤマ（死者の神）やヤマの使者、クリシュナをはじめとする神を見ることが最も多いので、「死に神」という文化的な印象が作用しているのではないかと想像されます。つまり、この段階でもコア経験者は「現世」の心を有しているという証左でしょう。

霊姿の問題で、死後生存仮説派のオシスとハラルドソンが喜びそうな事例もあります。霊姿に登場する親族は既に死亡している人なのですが、体験者自身はその人の死を知らない段階でその霊姿をみている事例です。体験者の姉が三週間前に亡くなっているのですが、体験者に告げるのは悪い影響があるとして姉の死を知らせていなかったのです。それなのに、霊姿として体験者は姉を見ているのです[18]。もうひとつ、先天性の心臓疾患にかかっている十一歳の少女が、母親の死を知らないのに、「白いドレスを着たママ」を見ています[19]。また別の事例では、二歳半といえば死という概念をまだ持っていない年ごろの子供なのに、「その子はずいぶんおとなしく横になっていました。この子は、実に自力できちんと起き上がって、両手をこう差し伸べて、『ママ』と言ったのです。それから、ばったり倒れた(死んだ)んです[20]。」これらの事例は現実でしょうから、どうみても死後生存仮説の証拠といえるように思われます。

コア経験の最終段階で会う、はっきり判らない「ある存在」を、オシスとハラルドソンは霊姿と一括していますが、ケネス・リングは分けて説明しています。愛情を持っている亡くなった人、普通は身近な親族ですが、これを「霊」として、はっきりわからない「存在」の場合とは対照的に、これらの霊は、眼に見える形ではっきり認識される、といっています。霊は親しみを込めてそれぞれの人たちを迎えます。体験者自身はこの再会に驚きと非常な幸せ感との混じった気持ちを覚えています。にもかかわらず、こうした霊は「まだお前の番ではない」「お前は戻らなくてはいけない」という意味のことを伝えるのです。「存在」の方は、「そのままとどまるべきか」どうかを体験者に選択させるために現れるのに対し、「霊」の方はそれぞれの人に「戻ること」を急き立てるのです。この「存在」と「霊」との邂逅の差異は、ほとんど両方が一緒に起きることがないということを勘案するに、それぞれがコア経験における意思決定過程の全く異なる二つの別個の様相を表しているようです。

戻ることを急き立てる「霊」と違って、体験者にその選択をさせる「存在」との邂逅で戻ることを選択した体験者を分析してみますと、その体験者の抱えている問題に「戻る」という原因があるようです。ひとつは、体験者を必要としている愛情で結ばれているもの、子供とか配偶者とかに「引き付けられる力」、もうひとつは、一生の課題をまだ果たしていないという感覚、つまり「完了していない仕事」を持っているという気持ちが関与しているようです。この一生の課題をまだ果たしていないという感覚は、わたしが後ほど話題とする「生涯期の課題」ということに関連していると思います。

コア経験に関する回答者の、こうしたニア・デス体験それ自体についてどんなものであったかという質的な感じ方については、ケネス・リングとレイモンド・ムーディのそれぞれの結果はほぼ一致したものとなっています。つまり、コア経験は夢でもなければ幻覚でもない、まぎれもない事実であったということです。それに、自分たちが死にそうになったこと、あるいは死んだことがわかったと主張していることです。では、その間の意識状態はどのようなものであったのか、ということについては、「自分たちの思考過程ははっきりとしていて明晰であり、感情よりも理性に支配されていた」といいます。「戻る」か否かという意思決定過程でも、個々人の思考作用は損なわれることがないばかりか、逆に高められるらしいということを意味しています。生き返るという意思決定は、主観的には論理的で超然とした理性的な意識に支配された、精神的に高い明晰さでなされているようなのです。判断力が明晰であるように、感覚も鋭く正確になっていて、その感覚は自分の肉体から抜け出たと感じているときが特にそうだ、というのです。嗅覚と味覚は完全に欠如しており、肉体の感覚も欠如していますが、視覚と聴覚だけはまだあるのだそうです。しかし、これらの感覚でさえもやがて完全に消え去ってしまいます。いよいよ本格的な死に近づいたり、あるいは死んだときに、最後まで存在するのは「意識」だけである、と、これは生還した体験者の推測とはなりますが、そう言っています。感覚を媒介にした知覚という印象が全くなく、心だけがあったというのです。ある種の境界、つまり、もう戻れなくなる地点に近づいているのを感じたかどうかという質問には、生と死の境界となる視覚的な象徴は認められないものの、境界に接近しているという感覚は極めて顕著にあったそうです。

こうしたことがニア・デス体験の内容なのですが、ニア・デス体験に入る入り口の違い、つまり、病気、事故、自殺の三つの異なる様式では経験内容に違いがあるのかどうか、このことを追求してみますと、そこには顕著な差異が見られるのです。病気の場合には、コア経験の模範的な特徴がはっきりしており、最も完全なコア経験を代表しています。一方、事故による場合は、パノラマを見ているような、生涯の回顧が現れるという特徴があります。前に記述しました登攀中の滑落事故と同じです。ただし、ケネス・リングによる調査では、落下事故によって死にそうになった人たちの場合にこのパノラマ的人生回顧という現象が起こったのはわずか九パーセントで、アルベルト・ハイムの所説とは一致しないのです。それに対し、溺死しそうになった事故では四三パーセント、自動車事故では三三パーセントにこのパノラマ的人生回顧が起きています。他の場合と比較して事故にこの現象が多いのは、ニア・デスという事態を迎える突然性あるは予期していなかったというところにその原因があるのではないかと推測されます。突然出現した避けることのできない死の様相に、その人その人の経験を可能な限り短い時間枠の中に圧縮する手段として、人生回顧を解き放つのでしょう。したがって、主観的時間はものすごく長くなりますが、物理的時間は明らかにきわめて短くなります。それはいいのですが、何故にこうした人生回顧が出現しなければならないのでしょうか。歩いてきた自己の生涯を省みるためでしょうか。次のステージが待ち構えていて、その準備の資料としての役割ではないのか、と、わたしには思えるのですが。

自殺未遂によるニア・デス体験が模範的なコア経験とは大きく異なる点は、第四段階、第五段階がほとんどない、ということです。輝かしく慰められるような光を見た、とか、つかの間であっても既に死んでいる愛する人たちと再会した、とか、超自然的な美しさの超越的な世界へ入ったという報告がただの一件もないのです。自殺によって引き起こされたコア経験は、先切れとなったり、あるいは中断されて、消えてしまう傾向があるのです。他の条件のコア経験と同じように、同じ程度のほっとする感じや、安らかな感じとともに始まって、身体から分離する感覚が続くのに、暗闇の中、あるいは薄暗い虚空を漂って、まごつく感じになるとともに、その先へ行かないで終わってしまうのです。自殺によるニア・デス体験は完成しないことを強く暗示していることになります。自殺未遂者がしばしば使用する特定の薬品が逆行性の記憶喪失を引き起こすことがあること、したがって思い出すことを妨げることも指摘されます。このことは、僅か二例ではありますが、ケネス・リングが調査した事例に、薬品の力を全く借りずに自殺しようとした体験者がおり、いずれも深いコア経験を体験しているという事実が、これを物語っています。しかしながら、事例があまりにも少ないため、結論づけることはできません。この先の研究を待つしかないでしょう。

病気、事故、自殺未遂と三つに区分して検証したニア・デス体験は、多少の個人差があるものの、安らかさを感じ、肉体を抜け出すことや暗い闇に入るといった経験は共通しているのがわかります。逆に、病気では既に死んでいる親しい人の霊やある存在による選択と意思決定、事故ではパノラマ的人生回顧、それと、自殺未遂者の一般的印象が他と異なり、広い空間をさまよっているという感じなどは、ひとつの特徴として掲げられるものです。こうした違いはニア・デス体験者の「その時」の精神的健全性が関与しているのではないかと思われるのです。自殺未遂者は精神医学的な対象という状態にあります。精神療法の介入が必要な状態であれば、その他の体験者と比べれば必然的に精神状態は負の方向にあることでしょう。それの背後にはそれまで生きてきた世界の文化的な要素、「自殺はいけない」という負い目も入り込んでいるはずです。自殺未遂ではない他の原因でコア経験をした人たちは、異口同音に「自殺が成功した場合でも、その人は自殺で終わらせようとした状態と同じ状態のままになる」と明言していることも、ひとつの証しとなるのではないでしょうか。

ニア・デス体験をするときのその人の状況で、コア経験の内容に多少の違いがあるのではないかと思われるのですが、その他の違いによる相関要因はないのでしょうか。この点についても、ケネス・リング、マイクル・セイボム、レイモンド・ムーディ、オシスとハラルドソンともにほとんど一致した見解を示しています。それによると、社会的階級、結婚状態、人種などのような、人口統計的な個人的背景は、コア経験体験者とコア経験非体験者を比較してみましても、全く類似していて違いがありません。どんな宗教をどのくらい深く信仰しているかという指数においても、その違いは見受けられません。宗教性はコア経験の発生にも深さにも関係ないといえそうです。ただし、宗教性はコア経験の発生にではなく、その解釈に影響を与えていると思われます。つまり、自分たちの経験に宗教的な説明を加えるという傾向はありますが、必ずしもこの経験をより多く持つということにはなっていません。また、レイモンド・ムーディやエリザベス・キューブラー・ロスの本を既に読んでいて、ニア・デス体験の知識を持っている人とそうでない人を比較しても、コア経験に関しては全く差異が見受けられませんでした。

コア経験はあまりにも独特で印象的であるがために、時間の経過による記憶の薄らぎがありません。したがって、経験の効果はかなりあります。そのほとんどが、人生について前よりも積極的な見解を持ち、自分の真価を発揮しようという意識を強く持つようになった、としています。それに、ニア・デス体験者は無条件にほかの人たちを「受け入れる」ようにもなるようです。これに関連するかのように、組織宗教にたいする無関心や批判めいた見解を見せています。この観点からすると、一つの宗教あるいは宗派が最も優れていたり、あるいは「真の宗教」であるということはないのです。むしろ、あらゆる宗教は一つの真実のさまざまな表現であるという捉え方をしています。更に進んだ言い方をするならば、ある種の宗教的集団の、宗教的崇拝自体に問題があるのではなく、その独善的な宗教的体質を問題視しているのです。このことに関しまして著者のケネス・リングは「実際、私自身の印象では、コア経験体験者はニア・デス体験の後、（慣習的な意味では）その前よりも宗教的というよりも霊的になるというほうが正確ではなかろうかという気がしている。残念ながら、霊的という言葉は宗教的という言葉以上に漠然としていて、おそらく説明としてはほとんど役に立たないかもしれない。にもかかわらず、多くのコア経験体験者との個人的交流によって、私は、彼らの中の多くの人たちに、一種の霊的な目覚めがはっきり起こっていると感じさせられた。その性質を言い表すには、たとえあいまいではあっても、霊的という言葉が最も適切だという印象なのである。[21]」という表現で言い表しています。

こうした思いが強く影響しているのでしょう。「死後の生命」があるか否か、という質問には、ニア・デス体験者は非体験者よりも信じるという人が多いし、「強く信じる」と質的にも増しているのです。しかも、ニア・デス体験の前では、非体験者よりも体験者の方が死後の生命を信じていない傾向があったにもかかわらず、です。これは、死が差し迫ったときにコア経験を持つことが死の恐れに対する強力な解毒剤となることを証明しているのです。しかも一時的なものではなく、永久的であるといえましょう。はっきりいえるのは、単に死にそうになったということではなく、コア経験を持ったか持たなかったかということであると思います。

ニア・デス体験の内容のうち、興味を惹かれるのが「地獄」の問題です。既にわたしが紹介した五人の研究者は、地獄のような経験は全くない、としています。経験のはじめには怯えた感じ、あるいは困惑した感じになったと報告している人たちは何人かいますが、地獄へ向かって行ったとか、地獄へ落ちて行ったと感じた人は一人もいないのです。既に申し上げたように、ニア・デス体験の情緒的な状態と視覚的な様相は、いずれも際立って明るい肯定的なものになる傾向があります。自殺による事例においてさえも、不快に支配された、あるいは地獄のような経験をした、と述べているものは一人もいないのです。ところが、モーリス・ローリングズの著書では、彼の患者の一人が一連の心臓発作が続いているときに、「わたし、地獄にいる！」と悲鳴を上げたという記載があります。[22] 続いて彼は、他のニア・デス体験の著者たちに対して、「私の知る限り、患者の蘇生は行っていない、また蘇生直後に治療現場でのインタビュー機会には恵まれていない。私が蘇生を行った多くの患者に直接問い質した結果、多くの患者が悪い経験を持っていることを知って、私は驚いたのである。もし患者と直後にインタビューできるならば、調査者は必ずや、悪い経験の頻度が良い経験とあまり変わらないと知るに相違ないと私は信じている。[23]」として、批判しています。しかし、先にわたしが引用した著者では、マイクル・セイボムは心臓専門の医師です。蘇生直後のインタビューもあり、モーリス・ローリングズの言い分はこの点で誤っているのです。

ただし、モーリス・ローリングズの主張に、耳を傾ける必要がある点もあります。「著者たちにより正確に報告されてはいるけれど、インタビューされた患者たち自身からは必ずしも完全に想起され、もしくは陳述されていなかったのではないか、ということである。私は、こういった悪い経験のほとんどが直ちに患者の識閾下ないしは下意識の心へ深く抑圧されるのだということを発見した。これらの悪い経験はあまりにも苦痛に満ち、心穏やかなものでないため、意識的想起から外されてしまい、その結果、愉しい経験のみが想起される、あるいはまったく何の経験もなかったとされる、のである。[24]」と問題提起をしています。この辺は更なる研究を要するところでしょう。

ローリングズの指摘が的外れでないことは確かなのですが、彼が記録した患者については かなり問題のある患者が含まれているのです。彼自身「私が診た患者のほとんどがなんらかの向精神剤によっているようだ。アメリカでは、ヴァリウムがいま、アスピリン剤に次いで最大の高利益商品であり、最もポピュラーな薬剤である。」として、その薬剤を「ひと瓶全部を、五十錠も服用しました」とする五十四歳の家庭主婦を例証として挙げているのです。この主婦が喋った内容が次のものです。「もう取返しはきかないのです。ほんとにやってしまったとわたしは悟りました。死んでいくんだと！　自殺は罪悪だ！　でも生きていたって同じことだ。眠気を覚えるにつれ、暗い穴に降りていきました。ぐるぐる回りながら下へ降りていきました。するとキラキラする赤熱のスポットが見えました。わたしはもう立つことができませんでした。真っ赤で、熱く、火が燃えていました。地面はジクジクした泥で、足まで漬かってしまいました。動くことも難しいのです。熱は恐ろしいばかりになり、呼吸が苦しくなりました。『おお、主よ、わたしにもう一度チャンスをお与え下さい』とわたしは叫びました。祈って祈って祈りました。どうして戻ってきたか、どう考えても分かりません。」かような内容を述べているのです。

しつこいようですが、もうひとつ挙げます。この婦人の二十四歳になる娘がボーイフレンドに冷たくされて自殺してしまいました。この婦人は希望を失い、自分も死んでしまおうとして、娘の葬儀が終わるとすぐにアミタール（バルビタール剤）を大量服用したのです。「彼女は娘のところへいくことを願って自殺を図ったのだ。ところが娘には会うことができず、地獄らしいところへ行ってしまい、サタンとも見える二人の生き物が引っ張り合う毛布にのせられ、上下に揺すぶられた。そこは巨大な、不吉な気配のする洞窟であった。サタンみたいなものは、尻尾があり、目じりのあがった、恐ろしい形相の生き物だったと、彼女は陳述している。蘇生術と胃洗浄の後で彼女の意識は戻った。彼女は医師から、この地獄序曲の経験はおそらく薬物によるものだと告げられた。だが、彼女は今なお、そうではないと固く信じている。彼女はこの経験で新しい生きる目的と洞察とを得、現在、自殺者の遺族を精神的に支えるクラブをつくって活動している。[25]」と、やはり宗教的な、巷で囁かれている内容そのものを記録しています。

以上でも推測できますように、ローリングズはクリスチャンとして、本質的にはキリスト教へ改宗させることを目的とした小冊子としての著作としか受け取ることができません。彼の関心は、ニア・デス体験が天国と地獄についてのキリスト教的概念に経験的な支持を与えること、そして、天国を経験し、地獄を避けるためには、イエスに従わなければならないことを読者に納得させることにあるのです。「世界中の宗教では、ほとんどといっていいくらい、人々は神を探している。何かの生得的な感覚によって、人は神を求める。あるいはすくなくとも生における目的を求める。だが、これはキリスト教だけにみられることだが、われわれは神に人間を求めさせている。すなわち、旧約聖書では預言者を通じて、新約聖書では彼の一人息子を通じて、神は彼自身を顕わしている。だが依然として神はわれわれ人間の理解を超えている。彼の起源を考えあてる方法はない。彼の棲みどころを知る方法はない。神については、起源も終焉もない。ただ信仰を通じて、神はあなたの両手両足よりも近いものとなる。[26]」と。これがローリングズの本質なのです。

以上みてきたニア・デス体験について、何かしらミステリーに包まれ、超自然的な特質を漂わせている感が否めなくもない状況ですが、では、自然科学という立場から観た科学的な解釈で、比較検討してみた場合にはどうなるのでしょうか。まず筆頭に挙げられるのが「自我感喪失」という解釈でしょう。人は生命を脅かされる緊迫した状況に対応できるような防御的な心理的反応を引き起こすという考えのことです。この見解によると、安らかで幸せな感覚や肉体から分離する感覚、パノラマ的な人生回顧や不思議な超越性のような感覚などの、死が差し迫ったことに結び付く現象は、すべて代償的な空想や感覚の保護被膜を用意することで、個人を消滅が差し迫っている厳しい現実から隔離しようとするエゴ（自我）防衛のなせる業という理解です。こうした解釈をするアイオワ大学精神科教授のラッセル・ノイエスによれば、「生命の危機に直面した時の自我感喪失」症候群の特徴として、時間の知覚の変化、急速な思考の流れ、肉体との分離感、非現実感、情動の欠如、記憶の再現、宇宙との調和感ないし一体感、視覚や聴覚の鋭敏化等を挙げています。ノイエスは、こうした体験を、きわめて強い死の恐怖に対する心理的反応と解釈したため、危機の迫っている人間が、自分に死が迫っている事実を明確に認識した「後に」、自我感喪失症候群が出現するはずだとしています。[27] 彼がいうには、ニア・デス体験が完全に発現するための主たる要件は、死が差し迫っている事実に、患者自身が「気づく」ことであると、示唆しているのです。つまり、自らに「急死」が迫っていることを自覚するだけの余裕が必要で、この時間的余裕がなければ「自我感喪失」は起こらないということです。ニア・デス体験は、死が切迫していることが予測できない状況にあっても、しばしば起こっているのですから、自我感喪失という心理的理論では、意識不明を伴う身体的臨死状態に陥りながら蘇生した者が語るニア・デス体験の説明にはならないのです。

ニア・デス体験は単に肯定的というだけではなく、非常に幸せな傾向があるから、死の最終的な状態を、死を無視する「安らかな旅」に変えたいという欲求ではないかという説があります。既に死んでいる近しい縁者が温かく迎えにくる、ということからの発想ですが、ニア・デス体験者自身には、そのときにはまだ死んだことがわかっていないはずの亡くなった近親者、と会う事例を説明できません。加えて、これまでに会ったことのない縁者、つまり体験者当人にとっては全然知らない人と巡り合うという事例もうまく説明できません。また、ニア・デス体験は「夢」あるいは「幻覚」ではないかというのもありますが、ニア・デス体験者は事実としての体験であって、夢や幻覚とははっきり区別できたことを確認しています。

麻酔薬の投与が二酸化炭素の高まり、つまり幻想的な経験を誘発する状態を導きだす、という説にたいしては、麻酔薬の量をいろいろに変えて適切に投与しても、二酸化炭素水準に何らの影響もないことが確かめられています。しかも、手術中に心拍停止が起こったときには、麻酔薬は遮断され、患者には代わりに酸素が送られます。典型的な麻酔をかけられた患者は、事後になにも思い出さないという調査結果もあります。そもそも、ムーディやセイボム、リングの調査対象者には麻酔に当たるものはかけられていませんでした。

麻酔薬がコア経験を引き起こす原因とはならないとしても、他の薬品はどうでしょう。幻覚ないし妄想体験の原因となった数種類の薬物は通常、緊急性が発生した際に用いられるものです、例えば硫酸モルヒネは、心臓発作による胸部痛や急性心不全による肺うっ血を鎮めるうえでかなりの効果があります。ニア・デス体験者の少なくとも一部は、臨死状態に陥っている間、モルヒネやモルヒネ類似の幻覚誘発剤の影響を受けていたことが明白な人もいました。ところが、薬物により誘発される幻覚の内容と構造を医学的に検討した研究では、ニア・デス体験者の話す内容と著しく異なり、また特有の特徴を持っていたのです。麻薬性の鎮痛剤を使用すると、陶酔感や満足感に「酔う」か、恐ろしいほど知覚が歪む「ひどい幻覚状態（トリップ）」を起こすのです。これに対し、ニア・デス体験は、話の筋道が明確で、「視覚的」であるという特徴があるのです(28)。

投与されるモルヒネによく似た化学物質で、脳内で生産されるベータ・エンドルフィンという物質があります。この物質は、硫酸モルヒネの特徴と共通する部分がかなりあるようで、人によっては重症を負っても痛みをほとんど、あるいは全く訴えないといわれています。ニア・デス体験中に痛みが消えてしまう説明として注目されました。ベータ・エンドルフィンを直接注入して行った研究によれば、注射後一分から五分までの間に痛みの消失が起こり、無痛状態が二十二時間から七十二時間続いたということです。ニア・デス体験の場合は体験中しか無痛状態が持続しませんから、体験終了後には痛みがぶり返すので、明らかに異なっています。また、ベータ・エンドルフィンを注射された患者の大多数では、その主たる効果として、傾眠状態や入眠が起こると報告されている点があげられます。ニア・デス体験中に起こるという「過覚醒」とは一致しません。ニア・デス体験では、「視覚」や思考が明瞭なのです。

こうして、ニア・デス体験という現象それ自体は、死んでいくときの経験の信頼できる特徴として確認される今、進むべき方向はその理論化となります。

＊

ニア・デス体験という現象を理論的に説明する際に、媒介役をするのが物理学の分野で扱う「波動の世界」との関連でしょう。波動の世界における伝達手段に、テレパシーといわれるものがあります。順次話を進めていきますが、まずはテレパシーが関与していると思われる現象をみてみましょう。

ライアル・ワトソンは著名な動物行動学の学者ですが、彼の著作にはいわゆる「超常現象」として扱われそうな事象の記述が数多くあります。彼自身が直接体験したものや、研究者の研究結果等で耳目を集める例が紹介されています。

「ロザリア・アブルーはチンパンジーを飼育した最初の人だが、その中のある雌が死んだときの出来事を次のように述べている。このチンパンジーが屋内で死んだちょうどそのとき、外の遊び場にいたその夫のチンパンジーが鋭い叫び声を上げ始めた。『その雄は、鳴き叫び続けながら、何かを見ているかのようにあたりを見回した』後に、ほかのチンパンジーが死んだときも、そのチンパンジーは同じことをした。『何度も繰り返し鳴き叫んだ。下唇を垂らし、眼をこらして見続けた。まるで我々には見えない何かが見えるかのようだった。鳴き声は、ほかのときに聞いたいずれのものとも違っていた。私はゾッとした[29]』」。これなどは、死んだチンパンジーの「何か」がテレパシーを使ってその夫に接触したのだと思われるのです。

ハゲタカの視力はとても優れており、どんな遠くの動くものも目立つようになっているようです。一羽のハゲタカが食べ物をみつけるやいなや、他のハゲタカもそれに続いて現れますが、これは視力のみの業ではない。なぜなら暗闇の中でも同じことが行われているのをワトソンは見たことがある、と言っています。「私は、ハゲタカが遠くから死を見分ける能力を持つと言っているのではない。しかし、私は死にかけている生物から信号が発せられる場合があり、その警報は攻撃が急で激しいときには特に強い、と信じて疑わない。その信号は警告として始まり、そもそもは同種族の仲間だけに通用していたが、時とともに進化して、あらゆる種族に通じるSOSとなったもののようである。この信号は、状況や関連の種族によって同時にさまざまに解読され、『助けて、助けてくれ』、『気を付けろ、殺し屋がいるぞ』、『安心しろ、ほかの奴が食べられているのだ』、あるいは『おいで、食事の用意ができた』などの意味を表す。こういった通信はすべて価値があるし、そのうえ経済的なことに、災難に遭った一個体の発するただひとつの信号にすべて基づいている。[30]」異なる種族間でもある信号が送られ、また受信されているのです。

こうした例証として、一九六六年、クリーヴ・バックスターによって、植物が他の種族に反応する能力を持っていることが発見されたことを掲げています[31]。バックスターはCIAを退職した尋問の専門家で、ポリグラフを使っての植物の反応を探ってみようと、ゴムの木の葉の両面に精神電流反射（PGR）電極を二本取り付けて、植物を拷問にかけて、その反応を調べたのです。最初、ゴムの木の葉の一枚を熱いコーヒーの中に浸したのですが何の反応も示さない。そこで、次には葉をマッチで焼いてしまおうと「決定をした」その瞬間、PGRの追跡パターンに劇的な変化が見られ、ポリグラフのペンが急激で長い上昇カーブをたどったのです。彼は動かなかったし、植物にさわりもしなかったことから、植物に危害をくわえようと考えただけで、ポリグラフに変化が現れたとしか考えられないとしています。植物のこのような知覚の可能性を更に探ってみようと、生きたエビを持ってきて、一匹ずつ煮えたぎっている湯の中に落としていった。彼が一匹殺す毎に、ポリグラフの記録ペンは激しく跳ねあがりました。ところが、死んでいるエビを熱湯に落としても、何の変化も記録しなかったのです。

これをどう解釈したらよいのでしょう。ワトソンは「死に瀕した細胞が信号を送り出し、他の生命がこれに応答する」のではないかと考えています。しかし、すべての種が同じ振動数で警報を発するのでも、同じ感覚器官で行うものではないのですから、なにかそうでないものが介在しているとしか考えられない。多分、共通の信号、すなわちすべての種に共通な一種のSOS、を進化させる方向へ強力な自然の圧力が存在しているのであろうと彼はいいます。人間も無意識の中で警報に逐一気付いているのかもしれないとして、「多くの母親は、赤ちゃんが声で警報を発する前でさえも、何かよくないことがいつあるかを知るという。彼女らは正しく、普遍的な警報を受信しているのかも知れない。しかし、多くの感覚が出産直後に極めて敏感であることは知られており、したがって非常に微細な通常の刺激にも反応できるのかもしれない。[32]」という事例を挙げています。

ＳＯＳの信号を送る、それを受信する、いわゆるテレパシーです。細胞間でのテレパシーに限定されず、異種の生物間にもテレパシーが通用しているのです。テレパシーは「正常な感覚経路を経ずに、他人が持っている情報に近づく手段[33]」と定義されています。人間どうしの間でも、一九六六年四月一九日、モスクワと、モスクワから一八六〇マイル離れたノボシビルスクに、テレパシーの実験役をそれぞれ待機させて実験が行われました。送り手となった者が、金属のバネを手に握って送信をしますと、受け手が「まるい、金属製の、光った、ギザギザのある、コイルのような物」と書き、その十分後、送り手が黒いプラスチックの柄のついたねじまわしに精神を集中させると、受け手は「長くて細い金属、いや、黒いプラスチック」と記録したのです。[34]この時のふたりの脳波のパターンは完全に同調していたそうです。

ハチやアリなどの複合社会においては、その結合力にテレパシーが重要な働きをしていることが想像できます。食物への道筋をつけるとか、侵入者に対する警報などの伝達に、フェロモンという化学物質を放出することは既に知られています。このフェロモンという物質は、空気中に放出されると十五秒で最大直径三インチの球形にまで広がり、三十五秒後には全く消え去ってしまいます。他の昆虫の乱入によって生じた騒動はごく近傍にだけしか広がらず、巣の他の部分には影響を及ぼさないのです。毎日、非常に多くのささいな騒動が起きていますから、いちいち巣全体に警報を発していたら、巣がマヒしてしまうからです。しかしながら、巣全体で統一的行動を要する事態が発生したならば、こうしたフェロモンでは役に立たない。この際にテレパシーが活躍するのではないかと、ワトソンはみています。

イワン・サンダーソンが、熱帯アメリカでアッタ属のシュウカクアリを研究した報告があります[35]。このアリは、彼らの地下都市から放射状にのびる複雑だが、きれいに清掃された道路網を、都市から半マイルにわたる食物所在地に向かって建設しているのです。これらの道路のひとつが、木の枝とか他の障害物でふさがれたりすると、警察アリがやってきて迂回路をつくります。サンダーソンは、この援軍が到着する時間を調べたのです。まず、道路に障害物を置きます。すると、警察アリの大密集部隊が、何列にも横隊を組んで即時にやってきたのです。触覚から触覚へとリレー方式で連絡する余裕はありませんし、警報フェロモンを放出してもたちまち消散してしまいます。どうみても、このアリは遠隔通信システム＝テレパシーを持っているとしか思えません。

筋肉の緊張が減り、計算したり分析したりすることに関心を寄せない脳の状態であるときが、テレパシーを促進する身体的条件といわれており、この状態は睡眠中にも現れます。このことから、通常は意識によって覆い隠されていて、人の警戒心がゆるんで心の中の活発な検閲作用を逃れることができるときにだけ、テレパシーは生じるという研究者がいます。わたしたちの睡眠にはいろいろな段階がありまして、その中でリューシッド・ドリームといわれている状態があります。このときには、筋肉の緊張が急速に弱まり、身体が弛緩して、脊椎の反射運動は消滅し、いびきさえ止みます。リューシッド・ドリームにおいてはただ「目を閉じて想像力を集中」すれば、どこへでも移動することができる、とオックスフォードの精神物理学研究所のリューシッド・ドリーム被験者のひとりは述べています。この例として記録されている事例があります。少し長いのですが、状況を知るのにそのまま引用します。

「一八六三年十月三日、汽船『シティ・オブ・リメリック号』がリバプールを出航した。

その船にはコネティカット出身の工場主、S・R・ウィルモットがアメリカの妻子のもとへ帰国するため乗船していた。十月十三日の夜、ウィルモットは妻が寝間着しか身につけない姿で彼の船室に現れ、同室者がいることに気づいて戸口に一瞬たたずんだ後、彼のそばへ進むとかがんで彼にキスをし、しばらくして去った夢を見た。翌朝その同室者は（彼は穏やかで非常に敬虔な男であるが）はっきりした理由もないのにウィルモットに腹を立てていた。その理由を強いて尋ねたところ、その男、ウィリアム・テートはこう怒鳴った。『御婦人のああした訪問を受けるとは、君もたいした伊達男だな』。テートは寝床ではっきり目を覚ましていて、ウィルモットの夢と正確に一致する場面を目撃したのであった。十月二十三日に船がニューヨークに着いたとき、ウィルモットの妻が最初に尋ねたのは、彼が十日前に彼女の訪問を受けたかどうかということであった。大西洋が荒れ模様なのを知り、またリバプールを同時に出航した別の船が難破したという知らせを聞いた彼の妻は、その夜、夫の無事を気遣いながら床に着いた。夜中になって、自分が荒れ狂う海を越えてゆくような感じがした。彼女は低い黒色の汽船を発見し、中へ入って夫の船室まで行った。もう一方の寝台にいる男が、彼女を直視しているのに気づいて、一瞬中へ入るのを恐れたが、ともかく中へ入り、夫の額にキスして去った。彼女に聞きただすと、彼女は、その船室の独特の作りを正確に説明することができた。[36]」

この事例で注目すべきは、ひとりは夢で体験しているが、他の二人は夢というより実体験といったほうが適格だ、という点です。テレパシーだけでは説明がつかないと思います。あるいは、ウィルモットも夢を見たのでなく、「実体験」であったのかも知れません。だとすると状況は説明可能ではありますが、それではウィルモットの妻は肉体を離れて、ワトソンがいう「エネルギー体」として夫とテートがいる船室に現れたのでしょうか。リューシッド・ドリームでは「目を閉じて想像力を集中」すればどこへでも移動することができる、としても、移動する「実体」は何なのでしょうか。その「実体」は「実体」とは直接関係していない人でも「見える」ものなのでしょうか。テレパシーの説明を超えた世界＝次元というほうが、論理的にかなっている気がします。

テレパシーからちょいと飛躍してしまいましたが、テレパシーの範疇に入る出来事で、植物が人を見分けるという実験があります。ライアル・ワトソンが「人殺し」という室内ゲームを、植物で試みたものです(37)。六人の被験者を無作為に選び、くじ引きでひとりを犯人としますが、誰が犯人であるかはその犯人以外は知らない。ある植物をふたつの鉢に分けて並べて部屋に置き、六人がそれぞれ十分間だけ鉢の傍で過ごします。犯人は自分の番が来ると、ふたつある鉢の一方の植物を、植木鉢から引き抜き、踏みつけるという乱暴を働きます。生き残ったもう一方の植物に脳波計かポリグラフを取り付け、六人の被験者を一人ずつ連れてきてこの生き残った植物＝目撃者の傍へ立たせます。そのうちの五人に対しては、植物は何の反応も示さないのですが、犯人がそばに立つと、植物は必ず記録テープに測定可能な変化を示すのです。

この反応は、犯人自身の罪の意識による電気信号としての反応なのかも知れないとワトソンは当初考えました。ところが、後日、場所を変えて同じ実験をしたワトソンは、いや、そうではない、と気づきます。生き残った植物＝目撃者が、六人の被験者のうち二人に対して反応をしたのです。不思議に思った彼はこの二人に聞いてみました。ひとりは確かにゲームの犯人役でした。しかしもうひとりは、その朝一時間前に芝刈りをしてきたことが判明しました。彼は罪の意識もなく部屋に入ったのですが、植物にとっては明らかに「彼の手は血塗られていた」ということなのです。この実験からワトソンは「植物はそばにある生体に反応するだけではなく、個々の有機体を区別でき、信号と特定の個体との明らかに永続的な関連付けができる。[38]」と結論しています。

伝達システムとしてのテレパシーも、次のような事例に進むと、また違った次元へと突き進むのです。事象が起きる場所としても、時間としても、関連性がないのに、伝達されているとしか言いようのない現象です。でも、現実に事実として存在する事例なのです。

ひとつは、ワトソンが「100匹目のサル現象」と命名した事例です。[39] ニホンザルの行動研究が多くの野生のコロニーで続けられています。九州の東海岸から少し沖へ出た幸島という所でのコロニーで、一九五二年に、群れの行動範囲のある場所に食料ステーションを設置しました。そこに、人間が作った作物も新たな食物として与えてみたのです。サルたちは広範囲の嗜好を示して、各作物を餌として受け入れていきましたが、どうにもならなかったのが砂や砂岩にまみれた生のサツマイモでした。ところが、そこに一種のサルの天才ともいえるイモという名前が付けられた十八カ月のメスがいたのです。イモは、砂や砂岩にまみれたサツマイモを水流まで運んで行って、食べる前に洗うということを思いついたのです。サルの世界では車輪の発明に匹敵するほどの文化革命です。この食前に洗うという行為を、他の遊び仲間に教えると、教えられた子ザルが母親にも教え、この新文化は少しずつ一歩一歩とコロニー全体に広がっていきました。観察していた研究員も、その広がり方が手に取るように分かったそうです。それから六年後には、汚れた食物を洗うという習慣は、若いサルたち全員と、五歳以上の成熟したサルでも、子供たちから直接に真似して覚えたサルがやっていたのです。

ところが、ここからが興味あるところです。幸島のサルたちの何匹か、あるいは何十匹かが、そのころには海でサツマイモを洗うのが見受けられたのです。塩水で洗うと塩味がついて新しい味となるのを見つけたのです。そうしてこの習性が、他の島のコロニーや、本州の高崎山にいた群れの間にまで自然発生したのです。同じコロニー内ならば伝授することが可能ですが、行き来できない地域にまで、ほとんど同時的に文化が広がったという事実は、いかように解釈したらよいのでしょう。「100匹目のサル現象」と呼ぶワトソンは、次のように解釈しています。話を分かり易いようにするため、サツマイモを洗うようになっていたサルの数が九十九匹だったとして、時は火曜日の午前十一時であったとします。いつものように仲間にもう一匹の改宗者が加わったのです。100匹目のサルの参入により、数が明らかに何かの閾値を超え、一種の臨界質量を通過したのでしょう。その日の夕方にはコロニーのほぼ全員が同じことをするようになっていた。そればかりか、この習性は自然の障壁を飛び越えて、他の島々のコロニーにまで自然発生するようになっていったというのです。進化には通常の自然淘汰に支配されるメカニズムだけでなく、別のメカニズムもある、ということが示唆されているとして、これを「コンティンジェント(contingent)・システム」とワトソンは呼んでいます[40]。

正確にはコンティンジェント・システムと似て非なる概念なのですが、関連する現象の事例としてもう一つ挙げますと、医用潤滑油として、さらに爆発物の製造用に使用されているグリセリンがあります[41]。約二百五十年前に天然脂肪から抽出されましたが、液状のままで、固体グリセリンとはなりませんでした。結晶化を起こす通常の手立てである超冷却、再加熱、その他あらゆることをしても、頑として液状のままでした。固体グリセリンはできないものと思われていました。ところが二十世紀初頭、ウィーンの工場からロンドンの得意先に運ばれる途中の一樽のグリセリンにおかしなことが起こりました。「まったくの偶然だが、その間に起こった種々の動きの稀にみる組み合わせで……」結晶化が起こったのです。化学者たちがその樽のグリセリンを少しずつ頂戴しては自前の試料作りにとりかかると、それらは摂氏十八度で同じように固体となりました。更に不可思議なことに、最初の結晶を郵便で受け取り、あるひとつのグリセリン試料を使った実験で結晶化に成功すると間もなく、実験室にあった他のすべてのグリセリンが自然発生的に結晶化し始めたのでした。密閉容器に入っていたものまでも、です。

ワトソンの説くコンティンジェント・システムとは、「それは有核細胞の生物すべてに共通のもので、生命そのものと同じくらいの歴史を持っている。異なった時空間感覚で活動し、独自の知恵、独自の主体性を備えている。コンティンジェント・システムは全生物の集団的無意識なのだ。(42)」と、心理学者で有名なカール・グスタフ・ユングの集団的無意識を使っています。集団的無意識というのは、個人を超えた、集団や民族、人類の普遍的に存在すると考えられる先天的な元型が及ぼす作用を指していうのです。この領域は、民族や人類に共通する古態的な無意識と考えられ、この故にユングはこの無意識領域を「集団的無意識」と命名したのです。しかし、グリセリンの固形化の事例はこうした集団的無意識の範疇には入らないと思われ、コンティンジェント・システムというよりもっと広範囲の概念を必要としています。ここまで来ますと、この先は物理学の世界に行かざるを得ない状況となります。いわゆる量子物理学の世界です。

＊

二十世紀の初頭に、エックス線、及び放射性物質による放射の発見から、素粒子レベルの探索が開始されました。原子は堅固な物質単位ではなく、その中を小さな粒子が原子核を中心に飛び回っている広大な空間からなっていることがはっきりしました。この原子レベルの物質単位は、ふたつの側面を持つ非常に抽象的な実在であって、それらをどう観察するかによって、粒子に見えたり、波に見えたりするというものです。この二重性は光にもあって、光は電磁波の形態をとったり、粒子の形態をとったりします。そして光の粒子をアインシュタインは最初に「量子」と呼び、これが「量子論」という呼称の起源となり、今日それは光子として知られているものです。パラダイム（paradigm）とは、ある科学共同体のメンバーたちが共有する一群の信条、価値、手法として定義されますが、まさにこの時点がパラダイムのターニングポイントとなりました。

素粒子（電子、陽子、中性子）の性質をみる前に、比較することで論点が明確になると思いますので、それ以前に一般的であった概念を、ニュートンとデカルトを基礎とする「機械論的科学」として概略を示そうと思います。今日、わたしたちが疑いもなく、当然とみなしている世界で、実に分かり易い世界です。ニュートンの機械論的宇宙とは、原子という微小でそれ以上破壊できない粒子を基本的構成要素とする堅固な物質の宇宙です。ニュートンの原子は本質的に受動的かつ不変で、その質量と形は常に一定であるものです。すべての物質は、それで構成されている宇宙を含めて、物質間にはたらく力を等しく計算できる。それは作用しあうふたつの物体の質量に正比例し、その距離の二乗に反比例されるというものです。かれはこの力を万有引力と名付けました。この万有引力という作用は、瞬時にして遠方にまで及ぶとされています。そして、もうひとつの基本的特徴が、絶対かつ不変で、常に静止している古典的ユークリッド幾何学の三次元空間です。物質と、何もない空間の区別は明瞭です。同様に、時間は絶対的・自律的で、物質世界から独立していて、それは過去から現在を経て未来へと均一かつ不変に流れるものです。

このようにして得られる宇宙像は、巨大で完全に決定論的な時計仕掛けの宇宙です。すべての物質は永久不変の諸法則に従って運動し、物質世界の出来事や過程は相互に関係している因果の連鎖から成立しているのです。ですから、原理的にはあらゆる過去の状態を正確に再現したり、万物の未来を絶対的確実性を持って予測することも可能となるのです。こうした主流を占めるパラダイムの成立にもうひとつの重要な影響を与えたのがデカルトです。スタニスラフ・グロフは「デカルトの最大の貢献は、精神と物質の絶対的二元論を極限まで定式化した点にあり、この結果、物質世界は人間の観測者にかかわりなく客観的に記述できるという信仰が生まれた。この概念は自然科学とテクノロジーの急速な発展をうながしたが、その最終的な帰結の一つとした人間存在、社会、地球上の生命に対する全包括的アプローチを見落としてしまうというゆゆしき事態を招いた。[43]」と批判しています。近代を代表する「科学者」として有名なふたりですが、グロフによると「ニュートンは宇宙の本質が物質的なものであると信じていたが、その起源を物質的な原因で説明できるとは考えていなかった。彼によれば、最初に物質粒子、それら相互にはたらく諸力、およびそれらの運動をつかさどる諸法則を創り出したのは『神』だった。いったん創り出された宇宙は一つの機械として機能し続けるため、それにふさわしく記述し理解することができる。デカルトもまた、世界は人間の観測者からは独立した客観的存在だと信じていた。ただし彼にとってそれは、たえず『神』によって認知されることに基づいた客観性だったのである。[44]」と、「神」がすべての創造主であるという立場を貫いているところが、やはり時代性を感じますね。

物質も時間も空間も、わたしたちに馴染みがあって容易に理解できる世界と、いわゆる量子物理学の世界とは一体どのように違うのでしょうか。素粒子の有する顕著な特徴として、わたしは五つのポイントをピックアップしてみました。ひとつは「粒子」と「波」という性質を同一素粒子が同時に有していることです。例えばスイッチを切った状態のテレビのブラウン管に電子を放射すると、ガラスの内部に塗ってある蛍光物質に当たって小さな光の点が表れます。スクリーン上に残った衝突点が電子の粒子としての性格をはっきり示しているのです。ところが、二本の細い切れ目の入った障害物に向けて電子を一個当てると、二本の切れ目を同時に通過してしまいます。これは電子が「波」の状態であることを示していますし、波動状態の電子どうしが衝突すると、そこには干渉パターン、つまり静かな水面にふたつの小石を投げ込むと波の干渉パターンができますが、それが見られるのです。この「粒子」と「波」という二重性は、粒子というとても小さな体積に閉じ込められた実在であると同時に、波ならば大きな空間領域に広がっているものなのです。とても奇妙なものとしかいいようがありませんね。しかも、粒子であるか、波であるかという性質は実験している観察者や状況によって決まるというのです。原子の世界に対する人間の想像力の限界を、ハイゼンベルクは正確な数学式で表し、そのことは不確定性原理として広く知られている概念です。わたしにはほとんど理解不能なのですが、素粒子の二重性、つまりどちらか一方の側面を強調して説明すると、もう一方の側面がぼやけてしまうというこの両者の厳密な関係が、不確定性原理という数学式で示されているのだそうです。こうした関係性をわたしたちでも理解できるように説明してくれたのが、ニールス・ボーアによる「相補性」という考え方です。この相補性という概念もまたなかなか受け入れがたいしろものではありますが、わたしは俗にいわれている「車の両輪」で理解できるのではないか、と思っています。ふたつの輪が揃ってはじめて本来の姿が生じてくるという関係性のことです。とにかく、粒子でも波でも、両方とも一つのものなのです。粒子の像も波の像も、同じリアリティを記述する相補的なふたつのもので、それぞれは部分的に正しく、不確定性原理で明らかにされる適用範囲がある、ということなのです。

二つ目の特徴は、素粒子は「物」ではなく、物と物との相互に連結したその相互連結、あるいは相互関係としてのみ理解できるものであるということです。素粒子が宇宙を構成しているのですから、素粒子自体が相互連結としてしか理解できないのであれば、連結している宇宙は基本的にひとつであることを明らかにしていることになります。究極的には宇宙のすべての部分は孤立した実在として理解できるものではなく、その相互関係をとおして定義されなくてはならないのです。物理学の用語で「局所的」とか「非局所的」という言葉がよく使用されます。わたしたちの理解できる三次元の世界を例として説明します。

たとえばサイコロを振る場合、サイコロの厳密な形、サイコロが落ちる面の形状など、対象の詳細が判れば結果の予測もできます。こうした詳細は、それが対象に特有なものとして備わっていることから、「局所変数」と呼ばれます。つまり、問題にしている対象物の条件ごとに在る変数です。こうしたそれぞれの関係から生じる条件の変数には全く関係ないものが「非局所変数」です。「局所的」とか「非局所的」と使われる用語はこの意味です。部分関係での使用が「局所的」、全体としての世界で使用するのが「非局所的」と捉えればよろしいでしょう。素粒子物理学でいう局所変数とは、空間的に分離した出来事の間の結合がそれにあたります。その結合は素粒子及び素粒子のネットワークをとおしておこなわれますが、それらは空間に関する通常の物理法則（例えば、どんな信号も光の速さ以上では伝わらない）を満たすものです。ところが、こうした局所的な結合以外に、非局所的な結合が存在するのです。それは瞬間的なもので、今のところ数学的に予測することができないものなのです。こうした非局所的結合こそ、量子的リアリティの本質なのです。出来事の一つ一つが全宇宙に影響されているのです。

アインシュタインは、光の速度を超えるものは存在しないと、最期まで主張していましたから、非局所的結合の存在と、そこから生じる確率的性質も決して受け入れようとはしませんでした。非局所的結合を説くボーアやハイゼンベルクに対抗してある実験をあみだしました。今日アインシュタイン・ポドルスキー・ローゼン（ＥＰＲ）の実験として知られているものです。その三年後、ジョン・ベルがＥＰＲ実験をして、非局所的結合の存在を示したため、アインシュタインたちには逆効果となってしまったというエピソードがあります。ＥＰＲ実験を説明するための単純化したものに、電子のスピン（回転）がありま す。素粒子の自転と考えていいのですが、回転の大きさは常に同じですが、電子はひとつの回転軸に関して二方向に回転できます。物理学者はこのふたつのスピンの値を、電子の回転軸が垂直だと仮定して、「上向き」、「下向き」と表示します。電子のスピンの総和がゼロであるという系の中にある二個の電子を、反対方向に引き離し、一方が月に、一方が地球に、という距離を保ちます。電子のスピンの総和がゼロでなければならない系にある電子ですから、一方のスピンが「上向き」なら、もう一方のスピンは「下向き」となるはずで、測定した結果はその通りになったのです。大事な点は、垂直軸だけでなく、さまざまな軸のまわりをスピンするという粒子の性質を考えると、ふたつの電子のスピンはどのような軸にたいしてのスピンかは不明であり、確率的としての「傾向」しか予測できないはずなのに、測定によって「確定」に変わってしまったのです。実験で、軸の方向を水平にするか垂直にするか、どちらを選択するかが不明なはずなのに、ふたつの電子は測定軸の方向が通じていたわけです。回転軸の方向が情報として伝わったとは、光の速度を超えられない世界では考えられないことです。光の速度を超えて伝わった、というよりは、相互連結性のなせることとしか言いようがありません[45]。

以上述べてきた相互連結性という粒子の性質の延長ではありますが、強調する意味で挙げるのが粒子と、観測者という人間の意識との連結性です。これが三つ目の特徴です。量子物理学ではかなりの程度まで観測された現象の性質を人間の意識が決めているとされています。観測された現象は、さまざまな観測過程の間の相互関係としてのみ理解できるものであり、しかも、その過程の鎖の一端は、常に人間という観測者の意識の中にどっぷりつかっていると考えられるからです。量子論の重要な特徴は、原子的な現象の性質を観測するためだけではなく、その性質を生み出すためにも、観測者が必要だという点です。観測者が電子に対し粒子的な問いを発すれば、電子は観測者に粒子的な答えを返します。電子に波の問いを発すれば波の答えを返すというふうに、電子は観測者から独立した客観的性質を持っていないのです。

粒子はある小さな空間領域に閉じ込められると、動き回ってその閉じ込めに反抗します。その閉じ込め領域が小さくなればなるほど、粒子はその中で「揺れ動く」ことになります。閉じ込められれば閉じ込められるほど、粒子は速く動き回る性質を持っています。こうした粒子の性質は、物質は基本的に「動」であることを意味しています。素粒子は分子、原子、原子核に束縛されていますから、静止してはおらず、本質的に動き回ろうという傾向があるのです。ですから、わたしたちの身の回りの物体は受動的で不活発のように見えますが、石や金属の破片を拡大してみれば、それが動きに満ち溢れていることがわかります。こうした振動する原子の内側では、電気力によって電子が原子核に束縛されており、電子はこの閉じ込めに対してとてつもない速さで旋回して抵抗しています。またその原子核のなかには陽子と中性子も強い核力によって小さな体積のなかに押し込まれ、その結果、それらは想像できない速さで動き回っているのです。そして、原子核内の陽子と中性子の速度が、時折、光速にちかい速度にまで達するのです。こうした高速度の現象を説明するには、相対性理論を適用するしかないのだそうです。

アインシュタインの相対性理論の登場によって、それまでわたしたちが慣れ親しんでいた自然現象の場としての絶対空間、そして空間から切り離された次元としての絶対時間という概念は通用しなくなったのです。つまり、空間も時間も、ある特定の観測者が自然現象を捉えて記述するために使用する主観的な言葉の要素でしかなく、つねに相対的なものなのです。ですから、光速に近い速度が伴う現象を厳密に記述しようとすれば、三つの空間座標に時間を組み込んで、時間を観測者との関係で規定される第四の座標として「相対論的」枠組みを使う必要があるのです。そのような枠組みの中では、時間と空間は密接不可分に結合していますから、「時空」とよばれる四次元連続体を形成するしかないのです。相対論的物理学では、時間を語らずに空間を語ったり、空間を語らずに時間を語ったりすることはできないのです。このそれぞれの観測者にとっての相対的なものである「時空」という概念が、「粒子」と「波」、相互連結性、素粒子と人間の意識との関連性に次いで、わたしが強調しておきたい四番目の特徴です。

自然を記述する物理学において、相対論がもたらした新しい枠組みで、極めて重要な側面が「質量はエネルギーの一形態にすぎない」という認識です。静止している物体でもその質量中にエネルギーを蓄えていて、エネルギー（E）と質量（m）との関係は「$E=mc^2$」（cは光の速さ）という美しい式にまとめられています。質量がエネルギーの一形態であるとしますと、物質はもはや不変不滅である必要はなく、他のエネルギー形態に形を変えることが可能となります。実際、そうしたことは高エネルギー物理学の素粒子衝突実験の過程の中では絶えず起きていることです。素粒子が生成と消滅を繰り返し、物質がエネルギーに、エネルギーが物質にと形を変えるという、このことが、わたしが強調しておきたい第五番目の特徴です。したがって、素粒子も基本的な「物質」からなるものではなく、エネルギーの塊であるとみなされています。わたしたちにとって、堅固なものとしている物質は、実は、エネルギーであり、「波動」であるのです。この後、話が進み、最終的にわたしの「推論」を述べる予定ですが、「素粒子は、延いては人間も他の物質も、波動であり、エネルギーである」ということと、それらは全て分割できない連結関係にあるひとつのもの、という命題が基本であり、根底なのです。ここをしっかり記憶しておいてください。

*

わたしの「推論」の構造となる思考は、「ホログラム」と呼ばれる概念にあります。ホログラムを可能にするものに、干渉と呼ばれる現象があります。干渉とは、二つ以上の波が交差するときに起こるもので、互いの波が重なって山になったり谷となったり、打ち消しあって水平となったりすることです。静かな水面に小石を二個落とすとできるあの現象です。山や谷となる現象を干渉パターンといいます。波の状態のものであればどんなものでも干渉パターンを創り出せます。光やラジオ波でも同じことです。

ホログラムは、単一のレーザー光が二本の光線に分割されるときに作られます。最初の光線を光線分割器を通して二本の光線にし、一本は撮影される対象の物体に散光レンズを通して照射し、それをフィルムに撮影します。もう一本の光線を鏡で角度を変えて、やはり散光レンズをとおしてフィルムに照射します。ふたつの光線が衝突して、そこに干渉パターンが生じ、それがフィルムに記録されます。できたフィルムを目でみても、何が映っているのかまるで不明な、ちょうど水面にできた同心円の波に似たものが、大小無数にあるだけです。ところがそのフィルムにレーザー光線を当てると、そこには撮影された物体の三次元映像が出現するのです。映画『スター・ウォーズ』の主人公ルーク・スカイウォーカーの冒険で、R2D2というロボットから一筋の光線が発せられ、レイア姫の小さな立体映像が写し出されるシーンがありますが、まさにそれです。この映像は気味が悪いほどの立体性を持っており、どこから見ても実物を見ているのと同じですが、触れようとすると、手は映像をすーっと突き抜け、そこには何もないことが分かる、というものです。

このホログラムの特徴は、立体映像であることよりも、そのフィルムを半分に切って、そこにレーザー光線を当てると、撮影された物体の映像が半分だけではなく、全体の映像が残っていることです。フィルムをさらに分割しても、ちゃんとした物体の全体像が映っているのです。ここが最も肝心な点でして、つまり、分割された小さな部分にも全体像が残っている、ということです。フィルムを細かく分割すると、画像の鮮明度は落ちていきますが、ほんの小さな一部分の全てに全情報がそっくり含まれている、ということが、ホログラムの一番重要な特徴なのです。

ホログラムの開発を可能にした理論を最初にまとめたのが、一九四七年、デニス・ガボールで、彼はこの業績でのちのノーベル賞を授与されています。彼が使用した方法は、十八世紀のフランス人であるJ・B・J・フーリエが発明した積分計算法でした。「フーリエ変換」といわれるもので、どんなに複雑なパターンをも単純な波動の言語に変換してしまう数学的な方法なのです。変換された波動の言語を、また元のパターンに再変換することも当然できます。今日、テレビカメラが映像を電磁波の周波数に変換し、家庭のテレビがそれをまた元の映像に変換するのと同じことです。面白いことに、ホログラムが有する「どの部分にも全体が在る」という一番の特徴は、画像やパターンをフーリエの波形言語に変換するときに生じる副産物なのだそうです。

「部分に全体が含まれている」というこのホログラムの特徴は、いろいろな研究者たちの理論に、多大な影響を与えました。一九六〇年代半ば『サイエンティフィック・アメリカン』誌に掲載された、史上初のホログラムについての記事に衝撃を受けたのが、神経外科医のカール・プリブラムでした。一九二〇年代に、カナダの神経外科医であるワイルダー・ペンフィールドが手掛けた研究結果が、特定の記憶が脳内に特定の場所をもっているとの有力な証拠を提示しており、それが一般化されていました。ところが、高名な神経心理学者であったカール・ラシュリーが、三〇年以上にわたって記憶のメカニズムを求めて自分の研究を続けていましたが、ペンフィールドのいうような証拠がどうにも見つけられなかったのです。ラシュリーのもとで研究を行うことになったプリブラムも同様でした。迷路走行などのさまざまな行動をネズミに学習させ、脳の一部を外科手術で切除し、再びテストをするという実験を繰り返しました。ネズミの脳の中で、迷路を走る能力を記憶している部分を文字通り切り取ることが目的でしたが、どうにもならない。脳のどの部分を切り取っても、ネズミのこの記憶を消し去ることができないのです。運動能力が損なわれたため、迷路をつまずきながら走ることはよく見られたのですが、脳の大部分を切除されても、ネズミの迷路を走る記憶力は依然としてきちんと残っているのです。そこで彼が考え付いたのが、記憶は、脳の特定の場所に位置しているのではなく、なんらかのかたちで、脳全体に広がっていて、または分散して蓄積されているのではないか、ということです。ところが、このような状態を説明できるメカニズムやプロセスが存在していなかったのです。ですから、ホログラムの記事を読んで衝撃を受けたわけです。

脳の神経細胞（ニューロン）どうしの間で交わされる電気的なコミュニケーションが、ひとつひとつ独立して行われるのではないことは既に知られていました。ニューロンは小さな木の根のように枝分かれしており、電気的なメッセージがこの枝の先端まで到着すると、ちょうど池に波が広がっていくように、そこから外側に放電がおきます。この広がっていく電気もまた波動現象であり、ニューロンが脳の中でぎっしり詰まっていることから、この電気の波はいつも互いに交錯している状態にあるわけです。このことから、プリブラムはこれが、ほとんど無限に近い干渉パターンを次々に創り出しているに相違ないと考え、この干渉パターンこそが、脳にホログラフィックな特質を与えているに違いないと気づいたのです。

脳がホログラフィックな性格を持っているとしますと、神経生理学上のいろいろな問題にも説明がつくのです。先ほど挙げた「部分に全体が含まれている」というホログラムの特徴の他に、実は、もう一つとても重要な特徴があるのです。「記録」が「無限大」に可能なのです。ホログラムの映像は、フィルムにレーザー光線で撮影したその時のその角度で再びレーザー光線を照射すると、記録してあったその角度での映像が出現するというものなのです。角度を変えることで、膨大な記録映像がきらきらと写しだされるのです。この性質を考慮すると、脳の神経生理学上のいろいろな側面を理解することができます。例えば、人間の脳は一生のうちには莫大な情報を記憶します。忘れていた記憶も刺激があれば思い出すことがあります。草の香りを嗅いだら、子供の頃に体験した草の匂いにまつわる思い出が浮かんできたりする記憶の関連性。半世紀ぶりに会って、顔つき、姿がまるっきり変わっているにもかかわらず、その人だと解る能力もありますし、優秀なピアニストが、ある曲のキーをわけなく変えて弾けることも、将棋や囲碁の名人が指す一手にも、説明がつきます。つまり、脳があらゆる記憶を干渉波のパターンに変換していれば、わずかな関連性をも見逃すことなく結び付けることができるでしょう。

脳がホログラフィックに働いているということは、物質すべてはエネルギーの波動である、ということとを結び付けて考察しますと、とても興味ある見解にたどり着くことができます。宇宙全体が波動で構成されており、その各波動も非局在性の相互結合という原理で一つに統一されたものであるのですから、通常のわたしたちには理解できない世界のはずです。ところが、わたしたちの脳はホログラフィックに、波動パターンを波動言語に変換してわたしたちが理解できるものにしてくれる。だから、すべての物質や物質的世界が、わたしたちが目で見て分かるものとなっているわけです。わたしたちの日常生活といった身近な現実が、実は、ホログラフィックな映像のごとく、一種の虚像である、ともいえるのです。宇宙全体が波動の連結で成り立っているという現実、これを「内在（implicate『包み隠された』の意）秩序」、わたしたちが日常生活をしている現実を「外在（explicate『開示された』の意）秩序」と命名して、ディヴィッド・ボームが、一九八〇年に『全体性と内蔵秩序[46]』を著しました。implicateは、「内在」「内蔵」とふたつの訳しかたがありますが、わたしは「内在」を使用します。また。explicateを「外在」として訳されていますが、わたしたちの日常世界のことですから、わたしはより理解し易いようにと「顕現」として記述します。

量子宇宙論の基本は、素粒子として相互に連結しているがゆえに、常に全体を対象としなくては意味がない、というものです。そしてこの「全体」の連結から帰結されるのが「秩序」です。この「秩序」をどのように捉えるかというところで、ボームはあらゆる形態の物質的宇宙が流れ出してくるダイナミックな現象に着目して「ホロムーヴメント」という言葉をあみだしました。物体の構造を扱うのではなく、「動き（ムーヴメント）」の構造を扱うことによって、包み込まれた秩序を研究するのです。一方、自然は物質の基本構成要素といったような根源的実在に還元することはできず、「自己調和」をとおして理解するべきだ、という「ブーツストラップ理論」というものもあります。この理論の鍵となる要素は秩序の概念で、素粒子の過程の相互連結性における秩序を意味しています。素粒子の世界の出来事が相互に連結し合う方法はいろいろありますから、秩序の種類もいろいろに定義できます。それを全体的な自己調和から演繹しなければならない、というものです。全体的の中には巨視的な時空の概念や、人間の意識の概念も入っています。意識の果たす役割がとても重要な要素であることから、将来の物質理論は人間の意識を研究するようになるであろうとしています。ボームやブーツストラップ理論の間に類似してあるキーワードが「秩序」であることは興味深いところです。

物質は全てエネルギーの波動パターンに還元され、内在秩序によって統べられているけれど、わたしたちの実感は顕現秩序が統べている世界としてあります。それでいながら、日常の出来事にはなかなか理解できないものがたくさんあります。わたしたちの身体そのものに関わる事例でも多々あります。わたしたちの脳も、身体全体も、ホログラムをモデルとして観てみますと、けっこう理解できそうです。わたしたちの健康に深い影響を与える神経ホログラムは多様ですから、そこにはさまざまな側面があるはずです。信念や頭の中のイメージが、わたしたちの健康にインパクトをあたえる可能性もあるでしょう。わたしたちの身体を構成している各器官も、わたしたちの意識と密接に関連しているのです。「病は気から」といわれるそれです。「イボ地蔵」にお願いするとイボがとれるなどの迷信と思われる出来事も、実際には効果がある事例として語り継がれています。「プラシーボ効果」もそのひとつです。身体に対しては何の効果もないのですが、患者に効果があると思い込ませることで、その効果を実現するというものです。プラシーボ効果について世界中で何百という詳細な研究が行われており、プラシーボを与えられた人のおよそ三五パーセントがかなりの効果を体験しているそうです。(47)

意識が肉体に及ぼす影響は健康だけではありません。ホログラフィック・マインドとして肉体をコントロールするこの力を応用した実例があります。旧ソビエト連邦は、イメージ法と肉体の運動能力との関連性についてかなり詳しく研究していたとの報告があります。[48]世界でもトップクラスの選手を集めて、それを四つのグループに分け、ある実験をしました。最初のグループは、練習時間の一〇〇パーセントを実際の練習に使う。二番目は七五パーセントを練習に、残り二五パーセントを、それぞれの種目での正確な身体の動きや達成したい成績を頭の中で視覚化（ヴィジュアライズ）することに費やす。三番目は五〇パーセントを練習に、五〇パーセントを視覚化訓練に使い、四番目は二五パーセントを練習に、残り七五パーセントを視覚化訓練に費やした。そうして一九八〇年、ニューヨーク州レイク・プラシッドで開催された冬季オリンピック大会では、信じがたいことに、なんと四番目のグループの成績が最も大きな改善を示し、以下三番目、二番目、一番目の順で他のグループが続いたのです。

通常は無意識に行われると考えられているプロセスに、催眠術の影響下にある人間が影響を与えることができる、という研究結果があります。[49]遺伝病といわれるブロック病は、爬虫類のうろこにも似た突起だらけの厚い表皮が皮膚の上に重なるようにしてできてしまう病気です。この表皮は硬くなってしまい、少しの動きでもひびが入って出血してしまいます。ブロック病に罹った人は、化膿が原因で起きる感染症に罹りやすく、比較的短命といわれています。この病気に罹った或る十六歳の少年が、ロンドンにあるクイーン・ヴィクトリア病院に入院し、催眠療法のセラピストであるA・A・メイスンに催眠術をかけてもらいました。この少年は催眠術にかかり易いタイプで、簡単に深いトランス状態に入りました。メイスンは少年に、あなたのブロック病は治癒に向かっていて、すぐに完治してしまう旨を告げました。五日後、少年の左腕をおおっていたうろこ状の表皮は剝がれ落ち、その下には柔らかい健康な皮膚が顔を出していました。一〇日もたつ頃には腕が完璧に正常な姿になっていました。メイスンは少年の身体の他の部分にも同じように治療を続け、少年のうろこ状の表皮はすべて消えたのです。ブロック病は遺伝子が関係しているだけに、血液の流れを変えたり免疫系のいろいろな細胞を動かすといった自律神経系のコントロールだけでは済まないものなのです。DNAのプログラミングそのものにまで手を伸ばすことを意味していますから、人間の心というものは、遺伝子の成り立ちさえも変えてしまうことができるようなのです。

催眠術が人間の能力を引き出してくれる事例があります(50)。ライアル・ワトソンが学生たちに協力してもらってある知覚実験をしました。関連性のない物や情報をいっぱい詰め込んだ部屋を作り、被験者に一分間だけ部屋を記憶してもらい、五分間休憩をした後に記入式か口頭による記憶力テストをしました。テストの結果は非常に幅があり、その差は性格のタイプと関係があるようでした。問題はその後でした。被験者全員に催眠術をかけ、その状態のまま、実験室の様子をもう一度描写するように求めたところ、なんとテスト結果の差がほとんどなくなっていたのです。ひとりの例外を除いて全員に記憶力の著しい向上がみられたのです。人間はみんな、記憶が悪いという人でも、知っているという自覚がないまま、実は大量に知覚し記憶しているものなのです。

記憶力の向上を見せなかったひとりの学生が、全く異なった能力を持っていたことも、偶然発見されました。この学生が立っていたところから約三・六メートル離れた壁に、ある新聞のコピーが額に入って掛かっていました。この学生は、意識があるときにはこれを覚えていなかったのですが、催眠状態では「額に入った紙」として記憶がありました。ワトソンがたまたま「そこに何があったか」と質問をしたところ、まるでその新聞を読んでいるかのように、すらすらと暗唱を始めたのです。ワトソンが驚いたのにはふたつの理由がありました。記事の一語一句を正確に読み上げたことと、ハゲタカですら不可能ではないかと思われるほどの視力の鋭さでした。ある種の人々には「直観像」といわれる能力がありまして、「頭の外」のどこかにあるものとして「見える」視覚的光景の心像を持続的に持ち、またその光景に目を走らせるように、目をあちこちへ動かすことによって細部を描くことができるのです。この学生がこうした直観像を有していただけでなく、いろいろな焦点距離を持った望遠レンズをも心の中で使うことができた、ということです。潜在的に持っている人間の能力は、脳がホログラフィックにできていると考えれば、計り知れないものなのです。

＊

古今東西、「超常的」とか「神秘的」という形容を付けられて語り継がれてきている現象を、もう一度みてみましょう。準備として、これまで記述してきた物理学では「当然」とみなされている事柄をまとめておきます。わたしたちが存在している宇宙は全て物質で構成されており、その物質は素粒子でできています。素粒子は粒子と波という二面性を同時に持っています。物質は質量を有し、$E = mc^2$ に表されているように、質量はエネルギーの一形態であり、したがって、物質がエネルギーへ、エネルギーが物質へと形を変えることができます。ですから、ボームの説く顕現秩序での身体を有するわたしたちは、内在秩序ではエネルギーの波動パターンでもあるのです。素粒子それ自体の性質も、観測者の意識が大きな要素として影響していて、将来の物理学は人間の意識を研究することになるであろうとさえいわれるのです。ブーツストラップ理論では、物質界の基本的構造が、究極的に、われわれがこの世界をどう見るかによって決定されるとまでいっているのです。

いいかえれば、観測される物質のパターンはわたしたちの心の反映に他ならない、というわけです。わたしたちの意識と物質界との関係は、ここまで密接なものなのです。

意識と物質との「密」な関係を、物理学からの視点で解き明かそうとしているのが、プリンストン大学の物理学者であるロバート・G・ジャンとブレンダ・J・ダンのふたりで、その著書『実在の境界領域　＝物質界における意識の役割＝』[51]にその詳細な主張が記述されています。それはあたかも「物理学」と「超常現象」の関係を解き明かす端緒を研究しているがごとくで、超常現象に造詣が深い心理学者で本著作の訳者でもある笠原敏雄が訳者後記で次のように書いています。[52]「超常現象には、他の自然現象には見られない変わった特徴があります。〝目標指向性〟と、〝とらえにくさ〟です。目標指向性とは、机の上の鉛筆を取ろうと思うだけで、手が〝自然に〟その目標を遂行するのと同じように、スプーンの首の部分を一八〇度ねじろうと念ずれば、途中の物理的プロセスに関する知識がなくとも、それに従ってその目的が達成される現象のことです。〝とらえにくさ〟とは、さまざまな側面がありますが、一言でいえば、あたかも量子力学の不確定性関係のように、超常現象を明確に捉えようとすればするほど不明確になるという傾向のことです。その一側面として超常現象には、カメラや人の視線を避ける傾向のあることが昔から知られていました。交霊会は昔から、暗闇の中で行われることに相場が決まっておりましたし、多くのスプーン曲げ少年が後ろ向きなど、人目の届きにくい状態でしかスプーンを曲げられなかったのを記憶されている方も多いでしょう。そのため、第三者を納得させる決定的証拠は極めて得られにくくなります。批判者からすれば、真の超常現象が存在しないからこそ、管理を厳しくしていくと現象が雲散霧消することになるわけです。」それゆえ、ジャンとダンによる『実在の境界領域』が、物理学をとおして超常現象といわれる現象を解き明かしてくれる端緒となる、と期待しているのです。

ジャンとダンは、素粒子それ自体がすべて波動と粒子の二面性を有していることを考えれば、意識もまた同様に二面性を持っていることになる。意識もその波動状態の側面では、他のすべての波動現象と同じように、離れたところに影響を及ぼす力を持つことが可能であり、この影響力のひとつが念力である、として次の実験をしました。(53) 彼らはランダム・イベント発生器という装置を使い、放射性物質の自然崩壊のような予測不可能な自然のプロセスに、念力が影響を及ぼすことができるかどうか、を実験したのです。ランダム・イベント発生器は連続して二進法の数字を出すことができますから、念力による操作で、その出る数字を操作できるか、というものです。二進法ですから、1もしくは0、といった数字のことです。いわばコインの表か裏か、といったものです。回数が多いほど、確率は五〇パーセントに近づくはずです。ボランティアたちにランダム・イベント発生器の前に座ってもらい、表あるいは裏が出るように意識を集中してもらうのです。これを文字通り何十万回も繰り返しました。ボランティアたちがただ意識を集中させるだけで、ランダム・イベント発生器が出す結果にたいして、小さいながらも統計的に有力な影響を与えることができることを発見したのです。ボランティアの誰もが同じ結果をだしましたから、私たちの誰でもある程度の念力能力を持ち合わせている、ということです。また、各ボランティアがそれぞれ異なる特徴的な結果を安定してだすこともわかりました。ふたりはそれを各人の「サイン」と呼んだくらいです。

この実験は放射性物質の自然崩壊という微細なプロセスにおける念力の効果でしたから、ピンボールでも同じ効果がでるのではと興味を広げ、実験をしました。九〇〇〇個の直径二センチの玉が、三三〇本のプラスチックの杭の間を抜けて、下にある一九個の仕切りの中に分かれて集まるように作られたピンボール・マシンのような装置です。装置の高さが三メートル、幅二メートルほどの浅い枠組みに収められていて、玉が落ちて仕切りの中に入ってゆくのがボランティアの目に見えるように前面はガラス張りになっています。通常ならば、両端よりも中心にある仕切りに多く玉が集まり、全体の分布は釣り鐘のような形の曲線を描くはずです。ふたりはボランティアにこの装置の前に座ってもらい、外側にある仕切りに入る玉の数を増やすように念じてもらいました。結果はランダム・イベント発生器と同じものでした。誰にでも念力があり、この能力にも個人差がある「サイン」を証明しているだけでした。

ジャンとダンは、こうした一連の実験から推測して、なぜある特定の人たちには機械をダメにしたり故障させたりするというジンクスがあるのかを、実験結果が説明しているのではと考えたのです。物理学者のヴォルフガング・パウリがこの種の才能で有名であったことから、こうした現象は「パウリ効果」と命名されたほどです。パウリが実験室に入るだけで、実験装置が倒れたり、故障したり、破壊されたり、火を吹いたりすることがよくあったからだそうです。ゲッチンゲン大学にあるジェイムズ・フランクの研究所で、ある精密な真空装置が破裂したのもパウリ効果に起因していたと言われています。パウリを乗せた列車がゲッチンゲン駅に到着したまさにその瞬間にその出来事が起こったことが、後で明確に確認されたのでした[54]。

ジャンとダンは、「経験、表現、行動のあらゆる側面を包含する『実在』は、意識とその環境の接点でのみ生じる」として「いかなる実在であれその唯一の通貨は、いずれかの方向に向かって流れる『情報』であると仮定される。」つまり、「意識は、環境から情報を引き出すとともに、情報を環境へ送り込むということである。こうした機能的な意味で、情報は、意識もしくは環境が感知し反応することのできる一連の刺激によって生じるのかも知れない。[55]」といっています。こうした意識、環境、情報の一連の関係から、念力とは、実際には意識と物質界との間の情報の交換が関わっているものであり、それも精神的なものと物質的なものとの間の流れという意味での交換ではなく、両者の間の「共鳴現象」なのではないかとしていています。事実、実験に関わったボランティアたちも、実験で良い結果が出る重要な要因としてもっとも頻繁に出てきたのが機械との「共鳴」感であるとしています。機械を直接コントロールしているという感じではなく、機械と共鳴して、自分は隅のほうでわずかな影響力を与えている程度だった、といいます。

ジャンは「ホログラフィック・モデルも、意識には波動力学的に機能する能力があることを認識しており、この能力を通じて、時間、空間上のすべてのものとの間に何らかのかたちの接触が可能になる。」としており、また、ダンも「もし個人の意識が独自の波動パターンを持っていると仮定するなら、これを宇宙のホログラムの中の特定のパターンと交錯する特定の周波数のレーザー光線と見ることも可能だと思う。[56]」とはっきりいっています。

ジャンとダンは、意識の定義として「情報を生み出し、受け取り、活用することができれば、それはすべて意識と呼ばれる資格がある」としています。この定義によれば、動物、ウィルス、無機的物質もすべて、自己を取り巻く周囲の環境と密接な関連性の中に実在しているのですから、意識があるといえることになります。それはすべて、この現実の創造に参画するための前提条件を満たしていることです。無機的物質といわれる物質にも、環境との相互作用から蓄積された情報が刻印されていても不思議ではないでしょう。そして、刻印された情報の波動周波数と合致する周波数を使えば、つまり、波動の共鳴現象を起こせば、相手からの情報を手に入れることができます。こうしたやり取りがサイコメトリー(霊視鑑定)、つまり、ある物に触れるだけでその過去の履歴を言い当ててしまう能力を成立させるのではないでしょうか。

一九三五年、ロシア生まれのポーランド人であるステファン・オソヴィエツキーが、発掘品の過去を見透かす能力があるということで、学者たちの研究対象となりました。[57]ポーランドで最も著名な民俗学者であったスタニスラフ・ポニアトフスキーが、世界中の遺跡から集めたさまざまな火打石や石器などを使って、オソヴィエツキーをテストしてみました。「石製遺物」といわれるこれらの発掘品のほとんどが、見かけからはその正体すら判らないものでした。これらの品は、ポニアトフスキーのために、その年代や歴史的背景などが専門家の手によって事前に調べられて確認されていました。ところが、オソヴィエツキーは見る物を次々と正しく言い当て、その年代、生み出した文化、それが発見された場所を正確に描写してみせたのです。オソヴィエツキーが述べた場所がポニアトフスキーのノートにある情報と食い違うことも何度かありましたが、間違っていたのはいつも彼のノートの方で、オソヴィエツキーの情報ではないことが後に判明したのです。オソヴィエツキーのやり方は、その物を手にとると意識を集中させ、周囲の存在が消えてしまうまで続け、そうして意識を移行させるのです。そうなると、彼には過去の一場面が三次元映像としてそこにあり、彼もその中に入っていくことができるのです。行きたいところへ行き、見たいものを見ることができて、彼の目は現実に見ているようにあちこちと動いていたそうです。

霊視鑑定を実際目の当たりにしたカナダのノーマン・エマーソンは、一九七三年の考古学年次学会の席上で「私はある情報提供者から、考古学上の発掘品、および遺跡に関する知識を入手してきているが、この提供者には心霊的な能力があり、意識的に知性を使った形跡もなしに私に情報を与えているというのが現在の私の確信である。」と述べ、考古学調査での超能力者の使用を広げていく可能性を探ることは「最優先事項」と考えられるとしています。(58) 他にも、オランダ人の超能力者ジェラルド・クロワゼが、ほんの一片の小さな骨から霊視鑑定でその物の背景を正確に描写した例もあります。考古学者クラレンス・ワイアントは、一般に中米でも最も重要な遺跡と考えられているトレス・サポテスの発見で一躍有名になりましたが、一九六一年のアメリカ人類学会の年次総会で、この発見はある超能力者の援助がなければできなかったであろうと明かしたのです。

＊

「物質がエネルギーに、エネルギーが物質に形を変える」、「素粒子の性質は観測者の意識が大きな要素である」、量子物理学でいわれている命題です。ブーツストラップ理論は更に突っ込んで「観測される物質のパターンは私たちの心の反映にほかならない」とまでいっているのです。そうすると、波動の世界での出来事を、わたしたちが認識できるこの顕現秩序での現象として表現されている事象に照らし合わせてみますと、「意識の物質化」といわれる現象も説明がつくようです。信仰治療と称せられる医術、ポルターガイストや最も有名なサティヤ・サイ・ババによる物質化の現象まで、意識によるエネルギーの物質への形態変化を見てみましょう。

インドネシアのある島で、生物学者のライアル・ワトソンが直接体験した事例があります。島の少年スモが、真っ赤なこてを足に落として火傷をしてしまいました。足の甲に鮮やかな赤い火傷の線が入っていまして、それがくっきりと腫れていて、水ぶくれになりかけていました。そこにティアという十二歳の女の子が来て、スモの足のかかとを自分の右手の平にのせて足を持ち上げ、小さな左手で傷口をやさしく覆ったのです。スモはティアの手が火傷に触れると、一瞬痛そうな顔をしただけで、みるみるうちに、疼痛の表情が彼の顔から消えて、不思議そうにティアを見たのです。ティアは妙な微笑をうかべて、手を放しますと、火傷のあとがきれいに消えていたのです[59]。

信仰治療師による手術は医療に使われるメス等の器具を一切使用せず、「素手」で直接行われます。患者の身体の上、二十センチくらい離れたところから手をゆっくり回しますと、あたかも鋭いメスが入ったかのような傷口が開いたり、あるいは、十本の指先を全部患者の皮膚に押し込んで、身体の内部に手をいれてかき回したりするのです。ワトソンが立ち会ったときは腫瘍を取り出すものだったようですが、後ほど取り出された肉の塊をナイフで切り開いて調べた結果、内部の一部は組織中をめぐる繊維の塊であったそうです[60]。

一九七三年三月、ジョージ・ミークは科学者の一団を率いてフィリピンで調査をしました。九人の科学者たちは、スイス、イギリス、ドイツ、日本およびアメリカの、内科医、精神科医、物理学者たちでした。五十人以上の患者たちに十人以上の信仰治療師が為した結果を調査したのです。「土着の信仰治療師によるいくつかのタイプの精神エネルギー現象が実際に存在し、しかも毎日行われていることが、明らかにされた。人間の血、組織及び器官や人間以外の物を物質化したり非物質化したりする業が発見された。それはまやかしではなく、麻酔薬も用いられず、消毒による予防措置も講じられず、しかも感染や手術後のショックが起こるケースもないことを明らかにする」という声明書に、そのグループ全員が署名しています。[61]

ワトソンがマニラで見た手術では、体壁が切開されたという確認はできなかったけれど、体表上に現れた血液は疑いもなく本物であったし、その血液を研究所に持ち込んで血液型を判定したら、患者と同一の血液であったと報告しています。しかし、信仰治療師が確かにいじっていたあの血まみれのものは、必ずしも患者の体内のものとは限らない、ともいっています。スイスの精神科医ハンス・ニーゲリが行った一連のテストでは、手術中に取られた血液は、関係した患者の誰のものとも一致しなかっただけでなく、そのうちの一部は人間の血ではなく、どうやらフィリピンに最も近い場所、オーストラリアのヒツジの血らしかったというのもあるのです。[62]ワトソンが充分近い距離から手術を見守っていただけに、これは、何らかの詐欺行為が含まれているというものではなく、奇術が行われた可能性も、手術前に組織が準備され、何らかの方法で隠されていた可能性も全くない、と断言しています。

ワトソンが調査したジュセフィン・シゾンという女性信仰治療師の場合では、彼女から一フィート以上離れることなく、手術中彼女の両手から一度も視線を放さないでいたときでも、彼女が患者の身体に指を押し付けるたびに指先から血のような液体が生じていたのです。その赤い液体には小さな組織片が混入していたこともあり、全く異質の物体が現れることも数回あったそうです。彼女が一連の患者たちの体表から取り出した異質の物体とは、錆びた釘一本、欠けていない丸い石塊二個、大きなプラスチックのバッグ数個、フィルム用の小さな缶一個、いばらの木の枝に付いたままの破損していない葉三枚、およびギザギザのガラスの破片一個などだそうです。いずれの場合にも、その物体は彼女の指と患者の皮膚の間に生まれるように見えたそうです。可能性としては、ワトソンがたぶらかされたか、催眠術にかかっていたか、彼女に制御された物質化の能力があるか、としています。しかし、ワトソンは問題の手術の写真撮影を数件していて、手元に画像があるのだから、答えははっきりしているのでは、といっています(63)。

物質化の極致はインドに住むサティア・サイ・ババでしょう。彼は、塩や数個の石ころ、ペンダントや指輪や宝石などを、空中から摘み取るようにして生み出すのだそうです。インドの珍しい食べ物や甘い菓子も数限りなく物質化して人々に分け与えるのです。文字通り何千人という人たちが目にしている現象なのです。アイスランド大学の心理学者、エレンデュール・ハラルドソンは、十年以上にわたってサイ・ババの研究を続けました。その研究結果を「現代の奇跡 —— サイ・ババにまつわる超能力現象に関する調査報告」で発表しています。その中で彼は、サイ・ババの生み出す物が、人の目を欺く手品の類いではないという決定的な証明はできないと認めているものの、何か超常的なことが起きていることを強く示唆する大量の証拠を提示しています。(64)

＊

ブーツストラップ理論の鍵となる要素は「秩序」の概念です。この秩序とは素粒子の過程の相互連結性における秩序のことです。素粒子の世界の出来事が相互に連結し合う方法はいろいろありますから、秩序の種類もいろいろに定義できることになります。また、ディヴィッド・ボームが強調するのは、素粒子の本質的にダイナミックな性質にありますから、素粒子の相互連結性も常にダイナミックに動いているその「動き（ムーヴメント）」の構造を扱うことで、全体の動き（ホロムーヴメント）の中にある秩序を研究することだ、としている点です。双方ともに、いわんとする世界の譬えとして使っている言葉が「織物」で、世界はダイナミックな関係の織物である、というのです。そして、どちらの理論も、意識は宇宙の本質的側面であり、将来の物理現象の理論の中では意識を含めるべきである、としています。意識を重要な要素として成立している秩序であり、意識を含めたいろいろな素粒子が連結し合う方法は、やはり、いろいろに在ることになるでしょう。ということは、「秩序」はひとつではなく、多数あることとなります。宇宙物理学でいわれている「多重宇宙論」です。宇宙は泡のごとく、無数に存在している、という考え方です。わたしの立場も、「秩序」、つまり言葉を変えていえば「宇宙」は数限りなく存在しており、ホログラフィック・モデルにあるように、それらはすべてを含んでいて、また、すべてに含まれているのです。細胞膜のように、常に相互に浸透している状態であるのです。あたかもホログラムのレーザー光線の照射角度を合わせることで、取り込まれている映像を選出できるように、波動パターンの周波数を合わせることで、相互に浸透し合うことができるのです。

ジャンとダンが説くように、情報を生み出し、受け取り、活用することができれば、それはすべて意識と呼ばれる資格がある、のですから、無機質な物質にも意識はあるのです。意識は環境から情報を引き出すとともに、情報を環境へ送り込んでいます。意識と環境との接点で「実在」が生じます。したがって、実在していた遺跡物には情報が刻み込まれています。その情報に周波数を合わせることで、霊視鑑定（サイコメトリー）が可能となるのです。能力者は遺跡物の情報が目の前に出現しているのですから、きょろきょろと目を動かしながら、「実際に」見ているのです。

相対性理論によれば、時間と空間はともに観察者による相対的なものですから、時間なるものは、私たちが感じているような直線的な流れではありません。カルロ・ロヴェッリは、時間は存在しない、あるのは瞬間でしかない「現在」と、記憶という「過去」であって、「未来」という概念は存在していない、といいます。[65] 時間も空間もホログラム・モデルの観点では、映画のフィルムが一枚ずつの写真で構成されていることに似ています。一枚の写真に、時間も空間も、すべての情報が含まれているのです。遺跡物のサイコメトリーのように、時間もその物質に刻み込まれていて、その時の環境すべても記録として存在しているのです。ですから、周波数を合わせることで、いわゆる「タイム・トリップ」も可能なことです。ライアル・ワトソンが体験した次の超常現象も、[66] かような立場からなら理解できるでしょう。未知のものに関する明らかに鮮明な体験というものは、実験室では起こらないで、自然発生的に予期しないときに起こるのが常です。およそ心霊現象というものは、おしなべてそうなのです。彼のこの体験は、心霊現象のあらゆる問題を劇的に凝縮していますので、臨場感が伝わるような部分はそのまま引用することにします。

肉体を離れる体験をしばしばしている友人と、ワトソンがギリシャを旅行したときに体験したものです。その友人（女性）は、肉体を離脱する体験を当たり前のこととして受け入れていて、鮮明な夢でも語るように体験内容を事細かく描写してくれる人です。しかも、事後報告ではなく、実際に体験しながら、なかば催眠にかかっているかのようなトランス状態で実況中継ができるのです。彼らがデルフェに着いた直後のことでした。友人が「小さな教会が見える」と言い出したのです。彼女の視線を追って、目を凝らして周囲を見渡しても、ワトソンには教会など全く見えませんでした。教会の白い壁、赤いレンガの屋根、鐘のない鐘塔、教会の隣の二階建ての家などを詳しく描写してくれるのです。その家は一階が家畜小屋、二階が住居になっていて、二階につながる幅広い木製の階段が家の外に備え付けられていました。教会とその隣の家は、山の中腹に切り込まれた小さな台地の上に建っており、ふたつの建物の裏には浅い洞窟があって、中には天然の泉と岩石からくり抜かれた台座がありました。こうしてワトソンに詳細を描写してみせていながら、何かに不安を覚えたように急に黙り込んでしまいました。悪夢から覚めて、不快なものから逃げようとしているようでした。寒気を訴え、不安の原因は語ろうとしませんでしたが、一言「血」とだけ言ったそうです。聖堂の上手の丘をゆっくり歩いて、陽ざしの中のピシア競技場を一周したところにやっと、彼女の顔色もよくなり、落ち着きを取り戻して震えも止まったそうです。

翌朝、ワトソンはひとりで散歩に出かけ、気持ちよく山間の小道を辿り、道が川に達する途中の道端に小さな聖堂を見つけました。この地方では、どんなに人里離れた所であっても聖堂はいつも丁寧に管理されていて、蠟燭や花が供えてあります。ところがこの聖堂はペンキが落ち、窓ガラスが割れたままに放置され、中には蜘蛛が棲みついていました。

そのことに奇妙さを覚えて立ち止まったことで、聖堂の脇にある小道に気づきました。その道は雑草に覆われ、瓦屋根が木の上からのぞく林の中へと続いていました。

彼は回り道をすることにして、草に覆われた小道を歩いて行きますと、小さな教会と、牧師の住居だったと思われる家が並んで建っていました。どちらの建物も人はいないし、その荒れ果てた状態からして、かなり以前から人が住んでいないことを物語っていました。家の裏手に乾ききってひび割れたプールがありました。そのそばにある石の台座に座って、谷の反対側にある山を温かい朝日が照らし出すさまを眺めながら、快い気分で休んでいました。ところが、「徐々に忍び寄る不安を感じたのである。最初は何に対する不安なのかピンとこなかったが、泉、教会、家、とつぎつぎに目をやると、教会の鐘塔には鐘がなく、家畜小屋から二階へ行く階段は、家の外についていた。なんと、一八時間前に私の友人が鮮明に描写した光景とそっくりではないか！」

居心地が悪くなった彼は、立ち上がって、幅広い木製の階段のところまで歩いて行って、一瞬二階へ上がろうかと考えました。木製の階段は古いもので摩耗していましたが、しっかりしているように見えました。ところが、どうにも上って行くことに言い知れぬ抵抗を感じたのです。そこがワトソンで、自分の恐怖心の理由がわからないという状態に対する苛立ちのほうが勝って、彼は階段を上り始めました。半分以上上ったとき、黒っぽく風化した階段のけあげ部分が湿って光っているのに気づきました。手で触れてみますと、ねばっとした感触がして、赤いシミがつきました。何となく馴染みのある感じがしましたが、手を嗅いでみますとやっと何だか判りました。間違いなくそれは、わずかに金属臭のする、背筋が寒くなるような鮮血の匂いでした。ぞっとして、彼はあわててその場から逃げました。「誰が何と言っても、私にその階段を上らせることはできなかっただろう。背中を向けることとさえも怖かった」そうで、夢中で走ったそうです。

その晩、友人が前日の体験を詳しく話してくれました。彼女は、ギリシャ正教のバッパス（司祭）の黒い服を着た男が教会の方から歩いてきた。その男は、血だらけで醜く変形した女性の死体を抱いて、血をポタポタとたらしながら階段を上がって行った、というのです。何年か経ってからワトソンが再びその地を訪れた際に、住民から聞いた話では、羊を飼っていたバッパス（司祭）の妻がこの泉の近くで何者かに殺されたのだそうです。今でも、誰一人としてそこを訪れる気にはならないようです。

この体験についてワトソンが次のように書いています。「行ったことのない場所を詳細に描写できたということは、幽体離脱によって可能になることの一例としてあげられる。しかし友人の見た光景には、その地方の伝説になっているほど昔に起こった事件も含まれていた。これは過去を透視したとも言えるし、あるいは村の人々の心をテレパシーによって認識した結果だとも考えられる。彼女は離脱して実在の場所を透視し、そこに司祭の幽霊を見たのか、それとも私と同様、妻の死を悲しみ続ける司祭の霊に取り憑かれたのだろうか。しかも彼女が目撃した光景を私が翌日に実際に体験したわけだから、彼女の夢想には予知的または透視的要素が含まれていたことになる。全体を総括すると、その体験は幽体離脱――予見――現在透視――幽霊――憑依等が関係するわけだ。それとも、これらの推論をすべて廃棄して、私の友人こそが司祭の生まれ変わりだというひとつの解釈をする人もいるだろうか……」結局、超常現象は依然として不可解なものである、としています。超常現象は全的な特徴を持っているので、全体として見なければならないのです。ワトソン博士の推論を検証するより、ホログラフィック・モデル的に考えて、その場として記録されている波動に周波数が合致した結果、友人もワトソンも、その場の「現実」に入りこめた、という解釈が妥当であろうと考えます。

「その場」として記録されているホログラムというものは、顕現秩序に居るわたしたちにとっては「過去」の記録です。三次元世界で、時間の矢が直線的に進む世界での、経験済みの過去です。しかし、既にみてきましたように、わたしたちはエネルギーの波動パターンでもあるのです。波動の世界、つまり内在秩序では、時間は空間と別物ではなく、時空というひとつの次元で解釈すべきものなのです。ホログラムは空間として一部に全体が、全体に一部が含まれている解釈が可能でした。ならば、時間としての側面からみた場合にも、同じことがいえるわけです。つまり、時間の軸でも一部に全体が、全体に一部が含まれていて、相互に関連した秩序から成立しているのです。ブーツストラップ理論がいう相互関係性を通しての全体の調和が秩序なのです。常にそれぞれの関係がすべてを創り出しているのです。ボームの説くホロムーヴメントがすべての源なのです。ですから、秩序は無数にあり、内在秩序も無数にあるのです。先に述べた多重宇宙は、空間と採りがちですが、時間軸でも同じなのです。時間から捉えるホログラムも多数あるのです。その場の記録が有する波長に周波数を合わせて、その場を「現実」として把握することは、時間軸でも共通するやり方です。ですから、三次元世界で時間が直線として流れるという顕現秩序の「過去」と「未来」という言葉を使用するなら、「過去」のホログラムも「未来」のホログラムも、周波数さえ合わせれば「現実」となるのです。多数の「未来」のホログラムが相互に関係しあって、ひとつのホログラムが形成され、それを私たちの脳が顕現秩序に変換してくれるから、わたしたちはそれを「現実」として認識しているということです。私たちのいう「未来」とは、かようなものなのです。ですから、これから述べる実例も、こうした観点からみれば理解できるものと思います。つまり、ある特定のホログラムに焦点をあわせると、「未来予知」ができます。しかし、「未来」のホログラムは相互に関係する動きからひとつのホログラムの「結晶」が出来上がるように、多数ある「未来」ホログラムのどれに「現在の意識」が焦点をあわせるかによって、異なってきます。それが、「悪い予感」がしたことで、列車事故等の難を逃れることができた、という体験となって現れるのです。

「予知能力」の典型的な実例として、「椅子テスト」という実験があります。実験の担当者が、近くイベントが開催される予定となっているどこかの大きな劇場やホールの座席配置図から、無作為にひとつの座席を選び出します。ホールは世界中のどの都市にあるものでもかまわないけれど、座席が指定されないイベントである、というのだけが条件でした。そして、そのホールの場所、名前、あるいはイベントの内容も一切告げずに、このイベントが開かれる夕べに、その座席にどんな人が座るのかを描写させるものです。この実験にはオランダ人の超能力者クロワゼが選ばれました。欧米の研究者たちは二五年間にわたってクロワゼに厳正な椅子テストを行ってきましたが、その特定の椅子につく人間についての彼の描写はほとんどいつも正確で詳細なものでした。その人物の性別、顔の特徴、服装、職業、さらには過去の事件まで彼は言い当てることができました。一九六九年一月六日、コロラド大学医学部の精神医学臨床教授ジュール・アイザンバット博士によって行われた研究では、一九六九年一月二三日に開かれる予定のイベントでのある座席が選ばれたとクロワゼに伝えられました。そのときオランダのユトレヒトにいたクロワゼは、アイザンバットに対し、その座席に座る人は男性で、背は一七五センチ、黒い髪をオールバックにしていて、下の歯に金歯があり、足の親指に傷があって、科学界と産業界の両方に関わる仕事をしており、実験用の白衣に時折緑色の化学薬品でしみをつけてしまうことがある、と伝えました。一九六九年一月二三日、その席、つまりコロラド州デンバーにある講堂のその席に座った人は、ひとつの点を除いてクロワゼの描写とぴたり一致していました。その男性の身長は一七五センチではなく、一七七センチだったのでした(67)。

クロワゼが焦点を合わせたホログラムは、そのまま顕現秩序に現れたホログラムだったからです。だからといって、未来は既定の出来事だというのではありません。すべてが事前に決められているのでは、わたしたちに自由意志などないとされてしまい、何も考えずに動き回っている、運命の操り人形にすぎない存在となってしまいます。事実は違います。予知能力を使って未来をかいまみることで災害を逃れたり、航空機事故をただしく予見してその飛行機に乗らないで死を免れたりした事例が数多く文献にも表れています。多数のホログラムの中から、実はわたしたちが選択をしているのではないかと思われます。意識が素粒子に重要な要素として関わっていることを述べましたが、このことにも当てはまるのでしょう。まだ体験していない「未来ホログラム」が多数用意されている中から、現にある意識との関わりからひとつのホログラムが決定される。そのホログラムを「事実」として体験するのです。つまり、意識が「いま、ここ」にあるものの創造にかなり重要な役割を果たしているのではないでしょうか。ホロムーヴメントな宇宙から考えると、当然な帰結であると思うのです。

＊

わたしたちはエネルギーの波動パターンであり、波動の世界＝内在秩序に在りながら、脳がフーリエ変換することで、三次元世界としてわたしたちが認識できる顕現秩序の中で生活をしているのです。両秩序の通訳をする「脳」が無くなると、波動の世界だけが残り、三次元世界の顕現秩序が消滅して、わたしたちは「死」を迎えたことになります。しかし、波動の世界の創設に一役かっているわたしたちの「意識」は、消滅してはいません。波動の世界＝内在秩序では存続しています。

この「意識」を神秘主義者は「魂」とか「霊魂」と称しています。立場の違う心理学者は「人格（パーソナリティ）」という言葉で代用していますが、言わんとするものは同じです。ジャンとダンの定義では、無機質なものや動植物にも、わたしたちと同じ意識があります。わたしが最初にとりあげた野良猫「良太」にも、当然意識があり、良太の死後にも彼の意識は波動の世界＝内在秩序に消滅しないで存続しているはずです。ここまでは、人間も他の生物も無機質物質も、違いはありません。チンパンジーの雌が亡くなったときの雄の反応を以前記述しました。雌が飼育屋内で死んだちょうどそのとき「外の遊び場にいたその夫のチンパンジーが鋭い叫び声を上げ始め」、「鳴き叫び続けながら、何かを見ているかのようにあたりを見回し、下唇を垂らし、眼を凝らし続けた。まるで我々には見えない何かが見えるかのようであった。鳴き声は、ほかのときに聞いたいずれのものとも違っていた。わたしはゾッとした」というのがありました。チンパンジーが波動の世界へ行ってからも、その意識は存続しており、意識を感知した雄のチンパンジーによる反応です。

同じような反応を調査した記録が他にもあります。「デューク大学のロバート・モリスは、ケンタッキー州の幽霊の出るといわれる家の調査を、イヌ、ネコ、ネズミ及びガラガラヘビという生きた探知器集団とともに開始した。これらの動物たちは一匹ずつ、その所有者によって、かつて殺人の起こった部屋へ連れていかれた。イヌは二フィートだけ部屋の中へ入り、それから突然その所有者に向かってうなり、後ずさりしてドアの外へ出た。『いくら甘言を使っても、イヌが部屋の中へ入ろうとせず、外へ出ようともがくのを止めることができなかった。』ネコはその所有者の腕に抱かれてその部屋へ運ばれ、同じ位置まで来ると、所有者の肩の上に跳び上がって防御姿勢を示し、ついで床へ跳び下り、空いた椅子の方へ向いた。『ネコはついに他へ移されるまで、数分間にわたり部屋の角の誰も座っていない椅子に向かってうなり、唾を吹き、にらみつけていた。』ネズミはまったく何もしなかったが、ガラガラヘビは『同じ椅子に向かってただちに攻撃姿勢をとった』。反応を示した三匹の動物のいずれも、その家の他のどの部屋でも、それに比較できる反応を見せなかった。(68)」

ホログラムとして記録されている場の痕跡に反応できる能力というものは、動物には備え付けられているものなのかもしれません。未開の地にすんでいる人たちの方が、いわゆる現代人には既に失われた能力をいまだ有しているといわれるのも、このあたりのことでしょう。超能力者として一般人と区別される人たちは、やはり特異な存在なのかもしれません。

肉体を離れて、波動の領域に入る、という現象は、四次元の世界を体験することを意味しています。心で考えた場所へ瞬間的に移動できるのです。ニア・デス体験の最初にある現象です。統計によれば、思っている以上に皆さんが体験しているものなのです。この体脱体験を幽体離脱と呼ぶ人が多いのですが、心霊現象同様に、言葉としてどうもしっくりこないものですから、わたしは「肉体を離れる体験」とします。この現象が顕現秩序の中にいながらのものですから、その意味するところは次のようになります。私たちはエネルギーの波動パターンであり、波動の世界＝内在秩序と三次元世界＝顕現秩序の接点に立っています。同時に、肉体と意識は分離して、意識だけの存在を表現していっているのが「肉体を離れる体験」ということです。「霊魂」を使用したくないという人が使う「人格（パーソナリティ）」が肉体とは別に在るという言い方もできます。「死後生存」を唱える人の根拠です。

肉体を離れる体験の「事実性」をもう一度見てみましょう。体験者の語る内容にも、肉体を実際に離れて周囲の空間を飛翔した証明と思われる事例があります。アメリカのある少女は肉体を離れて空中を飛び、病院の五階北側の幅十五センチほどしかない窓枠の上に、右足で赤い靴ひもでむすばれた古いテニスシューズが乗っかっている、旨の話をしたことがあります。その場所を病院の内側から覗こうとしても死角になる場所で見えません。外から見上げても、窓枠の上のためやはり見ることができません。どうみても空中から見たとしか考えられないのです。

心臓外科医のマイクル・B・セイボムがその著書で表しているのは更に明解なものです。麻酔下にあった患者が無意識状態で、手術中に「語られた」言葉を想起する場合もときとしてありますが、手術の「光景」については、催眠をかけてもその記憶を引き出すことはできません。肉体を離れる体験の特徴は「視覚的」な記憶にあります。実際に「見た」のでなければ表せない内容なのです。「自己視型体験の中で感知された出来事のいくつかは、(除細動装置の計器についている針の動き方のように) 音声によっては表現しにくい類いのものなのである。また、患者が臨死体験中に見たという出来事を解釈しようとすると、その出来事は『視覚』によって知覚されたものであって、聴覚的なものではないことがわかってくる。例えば、『足の付け根のあたりに注射した』と述べているが、この時実際に行われたのは注射ではなく、血液ガスを測定するために行われた大腿動脈からの採血なのである。もしこの患者の描写が、その場にいた者の発した言葉に基づいていたとすれば、この処置について患者が誤解したはずはなさそうに思われる。しかし、本人の言うように、この患者が離れた場所からその場面を見ていたのだとすれば、このような誤解が起こったのも容易にうなずけるであろう。『足の付け根に注射』という言葉は、小さな注射器の針を鼠蹊部に刺したのを『見て』、そのことから論理的に考えた結果発せられた言葉のように思われるからである。(69)」肉体を離れてみたという例証としては、これ以上はないでしょう。

肉体とは別物となった意識の存在が確かなものとしますと、その意識はそれからどうなるのでしょう。ここから「精神」を有している人間の意識と、動物その他の意識に相違が生じてくるのではないかと思います。どちらにしても、顕現秩序に関わるときには「物質化」しなければなりません。精神が備わっている意識とそうでない意識との差異はここからです。精神を有している意識の物質化とは、取りも直さず「人間」です。世間でいわれる「生まれ変わり」です。エネルギーの波動パターンである人間が消滅することはなく、また、意識が有している精神も消滅せず、他と区別できる「個性」、言い換えれば「人格（パーソナリティ）」はそのままに、物質化するのです。ですから、宗教の中には「来世は動物として生まれてくる」などというのがありますが、決してそんなことはありません。人間は人間として顕現秩序の中に表れるのです。動物は種類が変化する可能性を残しながらも、やはり動物として物質化するしかないのです。

では、生まれ変わりということの事例研究を検討すると同時に、何故に生まれ変わりをするのか、という側面をみてみましょう。生まれ変わりの研究者としてイアン・スティーヴンソンとJ・L・ホイットンが有名です。スティーヴンソンは、世界各地の二〇〇〇もの事例を徹底的に調査して、数冊の書を著しています。わたしの手元には『前世を記憶する子どもたち』[70]があります。ホイットンもスティーヴンソン同様に精神医学者ですが、かれは催眠療法を使って「過去世」を調査しています。[71]

前世らしきことを口にする子供たちは、二、三歳から七歳前後くらいまでで、それ以後はほとんど口にしなくなるのが一般的です。スティーヴンソンはそうした子供たちや周囲の者たちに直接面談して調査しました。子供たちが語る前世の名前、家族や友人の名前、どこに住んでいてどんな家だったか、職業や、どんな死に方をしたのか、さらに誰に殺されたかなど詳細でした。お金をどこに隠したかなど、他人の知らないことまでも話すのでした。現地にそうした子供たちを連れて行くと、自分が使っていた食器や仕事道具等を見分け、道行く人を「〇〇さん」と呼びかけたりするのでした。どうみても生まれ変わりとしかいいようのないことばかりでした。

ただ、こうした現象は、事情を知っている周囲の大人たちによるテレパシーとも考えられるわけです。したがって、更なる調査で要求されるのは、単に「知っている」ということでなく、身についている事柄を調査する必要があります。技術を身につけているということは、テレパシーでは不可能です。次の事例がそれです。アラスカに住むコーリス・チョトキン・ジュニアが一歳一カ月のとき、母親に向かって「僕が誰か知ってるよね。カーコディだよ」と言ったのです。これはコーリスが生まれ変わる前の人物＝ヴィクター・ヴィンセントの部族名のことです。コーリスとヴィクターはともに吃音があり、船や海の上にいることを非常に好み、きわめて宗教心が強く、しかも左利きでした。コーリスはまた、小さい頃から発動機に関心を示し、発動機を操作、修理する技術を持っていました。母親の話では、コーリスは船の発動機の操縦法を独学で習得したといいます。コーリスの父親には発動機に対する関心も発動機を操作する技術もほとんどなかったのですから、父親からこうした技術を受け継いだり学んだりした可能性はありません。[72] 自らに既に備わっていた技術と知識としか考えられないのです。

スティーヴンソンは生まれ変わりといわれる事例を調査した研究ですが、ワトソンは対象を広げ、テレパシーや無意識の記憶による可能性を否定できる証拠があれば、死後の生の証拠として受け入れる用意がある、としています。「もし、現在生きている人が今日生きている他の誰も持っていない前時代の情報あるいは能力を持っていると疑いなく示されるなら、それは当時から生き続けてきた存在から得たに違いない[73]」から、その根拠が、生まれ変わりであろうと霊による取りつかれであろうと、その区別は差し当たり重要ではない、としています。ポイントは、「真性異言」と言われる証拠能力にあるのです。真性異言とは、身体を使った技術の能力や、言語を備えているということです。知識では補えない身体技術と、簡単には習得できない言語の駆使ならば、証拠能力を認められるというのです。そして次の事例を挙げています。

一九二七年、ある外国語を自然に使い始めた田舎に住むある少女に、フレドリック・ウッドが関心を持ちました。その少女=ローズマリーのいうことには、その言葉はある婦人から伝えられたものだというのです。紀元前一四六〇年から一三七七年のアメンホテフ三世治下、第十八王朝のエジプトに住んでいたというその婦人は、王様であるバビロニア人の妻、テリカベンティウであるといいます。ローズマリーはかつてシリア人の奴隷で、神殿の踊り子として仕えていたとき、テリカベンティウ王女に助けられて王女の小間使いとなったが、神官体制からの仇敵を逃れる途中、ともにナイル川で溺死したのだそうです。そして今日、ふたりは実際に古代エジプト語で言葉を話していたのです。

「ウッドは、ローズマリーと婦人の話す言葉から、五千の句と短文を発音通りに書き写して、それらをエジプト学者ハワード・ハルムのところへ持ち込み、翻訳を依頼した。象形文字は、『Y』の音を示す形以外は、子音文字しか表さない。現在生きている人は、古代エジプト語がどのように発音されたかを誰も知らない。というのも、その母音は、古代エジプト語と遠い関係にあるコプト語の形態と発音との比較によって、推測しなければならないからだ。象形アルファベットの文字の数と配列についてさえ、意見の一致するエジプト学者の数は少ない。表記のない母音を変化させることで単語の意味を全く変えることができるということについては、エジプト学者全員が認めている。ローズマリーの言葉から、母音の音を抜かして残ったものについてはハルムに理解できた。彼は次のように述べている。『純粋に技術的でいちばん確信をもたらす特色、たとえば終止符の特徴、古語の残存、文法的正確さ、独特な一般用語、通常の省略、および言葉のあやなど……を明らかにして説明するのは難しいが……それらはまさしく証拠と認められる』彼は確信を持っていた。

他のエジプト語の文法の一流専門家たちも意見を求められ、彼ら全員が、その伝達文は、今は失われた象形文字の言語に基づいていること、およびそれを表記された形でしか知らない彼らは、よくわからない付加物を含んでいることを認めた。ローズマリーが象形文字を研究して、彼女自身の母音を発明した可能性もあるという疑問が持ち上がったが、これは、彼女が任意の質問に対して明らかに意味のある答えの文章を発音できるスピードによって、否定されるようだ。現在生きている人は、誰も古代エジプト語を話せず、専門家でさえも、暗号文のようなひとつひとつの単語を、骨の折れる試行錯誤を経ながら解くのである。にもかかわらず、ハルムが二十時間かけて準備した古代エジプト語の十二個からなる一連の質問に答えて、ローズマリーはたった九十分座っている間に、同じ古代エジプト語で六十六個の正確な句をハルムに与えることができたのである。(74)」ワトソンは、このことで、死後の生の非常に有効な証拠を得たように思える、といっています。

一九八二年のギャラップ社の世論調査では、全アメリカ人の六十七パーセントが死後の生命を信じており、二十三パーセントが生まれ変わりを信じているという結果がでています。(75) ホイットンは催眠を使って神経症を治療する催眠療法の専門家です。彼が用いる

「退行催眠」とは、より未発達な段階に逆戻りすることで、被験者を催眠の暗示によって過去に連れ戻し、抑圧された意識の上では忘れ去られた記憶、それを浮上させることです。退行催眠により、心に傷を残した幼児体験などを発見して、それを、心理療法を行うときの手がかりとすることができるのです。退行催眠による年齢退行をさらに進めて、前世で生じた精神的外傷を見つけ出して治療を行うというやり方が、一九八〇年代に入ってからアメリカを中心に用いられるようになりました。彼はこの方法で「前世」の記憶を調査したのです。

退行催眠を使った前世の調査研究をしているうちに、前世と現世との間にある「中間世」の状態に、ある特異性があることに気づきました。中間世の人間の意識が、今生での、過去世に退行したり前世に退行したりしている間に経験する意識よりも、はるかに高い程度の意識に達することが分かりました。この意識は、私たちの現世にとらわれたリアリティという概念をはるかに超えるもので、人生を別の角度から眺めることを可能にしてくれるものなのです。中間世の状態では、俗にいう「善悪の判断」が拡大して、心のイメージで全てを見通すことのできる力が授けられ、「人間存在の意味と目的」がはっきり理解できるようになるのです。彼はこの並外れた知覚状態を「超意識」と命名しました。

「中間世を体験することで、被験者たちは自分のことをよく理解できるようになったのである。超意識を通じて、彼らは現在の自分がなぜこのような境遇にいるのかを知るに至った。さらに、肉体に宿っていない状態にあったとき、自分たちがこれから生まれようとしているこの世でどのような境遇にめぐりあい、どんな事件に関わっていくのかを、選び取ったのは自分なのだと悟った。両親、職業、人間関係、喜怒哀楽に関わる主な出来事も、既に前もって選ばれていたことが分かったのである。[76]」と記しています。この「中間世」というのは、チベット仏教の有名な『チベットの死者の書[77]』にある「バルド」の世界を指しています。前世と現世の間にあって、これから現世に生まれ出る直前の状態のことです。「バルドでどれだけ自分というものを自覚するかは、人によって大幅に違うようだ。熱心に霊的発展を願う人は、死んでからつぎに転生するまでの間も意識が非常に活発に働く傾向がある。成長のプロセスに何ら興味を持たない人は、世俗的な関心にとらわれた時間が長かったのとひきかえに、その分だけ『眠る』傾向にある。[78]」とホイットンは述べています。

このバルドに居るときの意義が、さきほど問いかけた「何故に生まれ変わりをするのか」の回答となります。わたしたちがこの地球に置かれているのは「無条件の愛」がそのすべてであることを学ぶためであるのです。連結関係の調和から秩序が生じ、秩序の根源が「無条件の愛」である、ということを知るためなのです。どの程度深く愛を身につけたか、が学ぶ基準で、その「程度」によって、「まだ足りない。もういちど戻って学んできなさい。」などの判断となるのでしょう。大事な点は、この「判断」を誰がしているのか、です。退行催眠では三人の裁判官とか、ニア・デス体験では死んだ縁者や光の存在などが登場しますが、わたしの考えではただひとり、「自分」です。ホイットンの被験者も、ニア・デス体験者も、光の領域に入ると、高次の、あるいは超意識的な自覚状態に入り、自己に対する反省については澄み切った正直さをもって臨むようになるようです。象徴的なのが「光の存在」です。光の存在は、至高なまでに愛を身につけた、目標としている「自分」です。ニア・デス体験でふれたように、自分という、そのときの意識が根源なのです。ニア・デス状態のときでも、バルドにいるときでも、どのような状況であっても、常にそうです。

ホイットンの調査結果では、バルドで、次の人生を計画するとされています。将来降りかかる重要な出来事や状況について、文字通りその概略を自分で決める、としています。前世で自分が何か過ちを犯してしまった相手とまた一緒になるように生まれ変わることを選んで、自分の行為の償いができる機会をつくる、といったものです。いくつもの生を通して、愛にあふれ、互いに得るところの多い関係を築きあげた自分の「魂の友」との楽しい出会いを計画したり、「偶然の」出来事の数々も組み込んで、まだ学ぶべきことを学び、果たすべき目的を果たすことができるように計画したりするのです。ホイットンの被験者の中には、三十七歳のときに強姦された経験を持つ女性で、この事件を自分で組み込んでいた、と告白したものもあります。その年齢で悲劇を体験することがどうしても必要だった、といっています。また、別の被験者で、生命を脅かすほどの深刻な腎臓病を患っていた男性は、前世の悪行について自分を罰するためにこの病を選んだ、と明かしています。

バルドにいる期間については、ホイットンは「死んでからつぎの転生まで最短十か月、もっとも長いもので八百年以上におよぶ。中間世の平均滞在期間は四十年ほど」[79]としていますが、スティーヴンソンは三年未満であるのが普通であるが、大体十五カ月としていて[80]、異なります。もっとも、ここでいっている時間は三次元での時間ですから、ほとんど意味のない時間の概念でしかありません。しかし、セスという自称精霊の案内人は「バルドの長さは個人の選択によって決定されるということは確実だ」[81]としています。また、「因果応報のような現象の存在を裏付ける証拠は全く得られなかった」[82]とスティーヴンソンは断言していますから、一般にいわれているような、前世の行状が来世の運命を実際に左右するということはないようです。自殺した人間は何百年もの間、場合によっては永久に地獄に落ちる、とする一部の宗教で説かれている信仰がありますが、間違っているとはっきり言えます。ただ、先にも記したように、意識のそのときの状況が常に基本ですから、自殺を望んだときの意識のままとなると、自殺しても苦しみは終わらず、苦しみの生じる場所が変わるにすぎないことは、自殺願望を持つ者に注意しておかなければならないでしょう。

こうして計画された人生を「業（カルマ）」といいます。落ち込んでいるときには、カルマを思い出せば耐えることもできましょう。何といっても、自分で「課題」を携えて、自分で決めたことですから。このように、現在の人生は自分で計画した、としますと、万人平等な人生といえますが、中にはこのことに気が付いていないために、『生まれてきたことが苦しいあなたに』(83)や、『生誕の災厄』(84)、『生まれてこないほうが良かった』(85)等の書物には「私たちの誰もが、生まれさせられてしまったことで害悪をこうむっている。」「たとえ、どんなに質の高い人生であっても、人生は非常に悪いものなのだ。」したがって、「新しく人々を生み出すことは道徳的に問題がある」から、子作りを阻止すべきだ。かような論陣を張る人々、あるいは、自己の運命を悔やみながら人生を過ごす人が居るであろうと思います。そうした人たちも、生まれた以上、死ぬまでの期間は現にあるのですから、その期間をそのまま恨み辛みで過ごすのでしょうか。どう考えてもそれはひどい。

これまで述べてきたことから判断しますと、エネルギーの波動パターンであるわたしたちが消滅することはない、というところから思考を進めるべきです。三次元である顕現秩序から波動の世界＝内在秩序へと次元の異なる世界へ移りますが、意識はそのままです。中間世＝バルドで次の「生涯」をどのようにするのか、自分で概略を練ります。そして、顕現秩序の中に現れることになります。顕現秩序の中で生活することを「生涯期」と呼べば、その生涯期をどう過ごすかという「課題」を携えて、です。この繰り返しなのです。まさに「生」と「死」はメビウスの輪、そのものなのです。ですから、今現在の自分はひとつの「生涯期」に在るだけのことで、それ以上でもそれ以下でもありません。要は、この生涯期をどう過ごすか、なのです。人間には「反省をする」という精神が備わっていますから、刹那的な悦楽だけでは心を満たせません。バルドで自ら練った次の生涯期での課題、その課題の為せる業なのでしょう。課題をこなすことで自らを高め、より高次の意識となって「無条件の愛」へ近づくという目的があるがゆえに、わたしたちはその生涯期を過ごすことができるのです。

その時々の中で、いろいろと感情の起伏もあるでしょう。反省と感動ができる「精神」というものを、わたしたちが具備しているからです。「生きる意味」を問うたとき、『朝日新聞』の二〇二〇年九月九日付で、ドリアン助川氏が「積極的感受」ということを述べています。「人間はこの世を目撃し、感受する者として存在している」から、「木、鳥、太陽、音、光、ひと、人工物など世界のすべてを、見たり、聞いたり、感じたりして関係を持つことに生きる意味がある」と。道端に何げなく咲いている花を注視すると、何故にこんなにも複雑な形をして、かくもぴったりの色合いでできているのだろうと、感嘆することがあります。名も知らぬ小さな花なのに、こんなにも素晴らしい姿をしてここに厳としている。その花の存在を覚えるとき、自己の存在も確かなものとして感じるでしょう。あるいは一面に広がる雲海に、ストレートに感動したこともあるでしょう。感動は、雲海にだけでなく、雲海を目の前にして感じている自分をも意識するでしょう。自分の存在を確かめていることに気付くでしょう。自分の存在をそこに確信し、これだけで十分、あとは要らない、そんな気持ちに満たされることが大切なのです。自分の「価値」を見出すことができるのです。「社会に対して自分はどんな働きかけをしているか」というメガネでは見えないものです。宇宙はすべて相互に関連しており、その関係性からすべてが生じている、ということをこれまで述べてきましたが、わたしたちの日常も同様です。今ここで、自分と接しているあらゆるものとの関係に気付き、それらの存在を確信するから、自己の存在を実感し、わたしたちは生きるエネルギーを得るのです。ちょうど、喉の渇きを潤してくれる小さな泉のように、です。

注

（1）『エレファントム』ライアル・ワトソン著（福岡伸一・高橋紀子訳）木楽舎　２５７〜２６１頁

（2）『人間死ぬとどうなる』（*THE ROMEO ERROR*）ライアル・ワトソン著（井坂清訳）啓学出版　44頁

（3）前掲（2）45頁

（4）『死ぬ瞬間』エリザベス・キューブラー・ロス著（鈴木晶訳）読売新聞社　61〜２０１頁

（5）前掲（4）１６９〜１７０頁

（6）前掲（2）59〜61頁

（7）『かいまみた死後の世界』レイモンド・A・ムーディ・Jr著（中山善之訳）評論社

（8）『いまわのきわに見る死の世界』（*LIFE at DEATH*）ケネス・リング著（中村定訳）講談社　15頁

（9）前掲（8）

（10）『「あの世」からの帰還』（*RECOLLECTIONS OF DEATH*）マイクル・B・セイボム著（笠原敏雄訳）日本教文社

（11）『人は死ぬ時何を見るのか』（*AT THE HOUR OF DEATH*）カーリス・オシス＋エルレンドゥール・ハラルドソン著（笠原敏雄訳）日本教文社

（12）前掲（11）xi頁

(13) 『光の彼方に』(*The LIGHT BEYOND*) レイモンド・A・ムーディ・Jr著(笠原敏雄・河口慶子訳)TBSブリタニカ
(14) 前掲(11)63頁
(15) 前掲(11)90頁
(16) 前掲(11)96頁
(17) 前掲(11)105頁
(18) 前掲(11)27頁
(19) 前掲(11)103頁
(20) 前掲(11)85頁
(21) 前掲(8)196頁
(22) 『死の扉の彼方』(*Beyond Death's Door. . .*) モーリス・ローリングズ著(川口正吉訳)第三文明社 21頁
(23) 前掲(22)95頁
(24) 前掲(22)94頁
(25) 前掲(22)177〜178頁
(26) 前掲(22)219頁
(27) 前掲(10)272頁
(28) 前掲(10)284〜285頁
(29) 前掲(2)49頁

(30) 前掲（2）50頁
(31)『スーパーネイチュア』ライアル・ワトソン著（牧野賢治訳）蒼樹書房　260〜261頁
(32) 前掲（31）263頁
(33) 前掲（31）281頁
(34) 前掲（31）269頁
(35) 前掲（31）288頁
(36) 前掲（2）126頁
(37) 前掲（2）53頁
(38) 前掲（2）54頁
(39)『生命潮流』ライアル・ワトソン著（木幡和枝・村田恵子・中野恵津子訳）工作舎　208〜210頁
(40) 前掲（39）183頁
(41) 前掲（39）59〜60頁
(42) 前掲（39）243頁
(43)『脳を超えて』(*BEYOND THE BRAIN*) スタニスラフ・グロフ著（吉福伸逸＋星川淳＋菅靖彦訳）春秋社　29頁
(44) 前掲（43）30頁
(45)『ターニング・ポイント』フリッチョフ・カプラ著（吉福伸逸＋田中三彦＋上野圭一＋菅靖彦訳）工作舎　128〜132頁

(46)『全体性と内蔵秩序』ディヴィッド・ボーム著（井上忠・伊藤笏康・佐野正博訳）青土社
(47)『ホログラフィック・ユニヴァース』マイケル・タルボット著（川瀬勝訳）春秋社　110頁
(48)前掲（47）106頁
(49)前掲（47）132頁
(50)前掲（39）349頁
(51)『実在の境界領域　＝物質界における意識の役割＝』ロバート・G・ジャン／ブレンダ・J・ダン著（石井礼子／笠原敏雄訳）技術出版
(52)前掲（51）320頁
(53)前掲（51）63～115頁
(54)前掲（51）322頁
(55)前掲（51）167頁
(56)前掲（47）161頁
(57)前掲（47）266～267頁
(58)前掲（47）268頁
(59)『未知の贈りもの』ライアル・ワトソン著（村田恵子訳）工作舎　151頁
(60)前掲（2）213～215頁
(61)前掲（2）216～217頁
(62)前掲（2）218頁
(63)前掲（2）219頁

(64) 前掲(47)198頁
(65)『時間は存在しない』カルロ・ロヴェッリ著(冨永星訳)NHK出版
(66) 前掲(39)395~399頁
(67) 前掲(47)280頁
(68) 前掲(2)177頁
(69) 前掲(10)189頁
(70)『前世を記憶する子どもたち』イアン・スティーヴンソン著(笠原敏雄訳)日本教文社
(71)『輪廻転生(驚くべき現代の神話)』J・L・ホイットン他著(片桐すみ子訳)人文書院
(72) 前掲(70)99頁
(73) 前掲(2)195頁
(74) 前掲(2)196~197頁
(75) 前掲(71)84頁
(76) 前掲(71)46頁
(77)『チベットの死者の書(バルド・ソドル)』おおえまさのり訳編　講談社
(78) 前掲(71)54頁
(79) 前掲(71)75頁
(80) 前掲(70)184頁
(81) 前掲(71)76頁
(82) 前掲(70)389頁

（83）『生まれてきたことが苦しいあなたに』大谷崇著　星海社
（84）『生誕の災厄』E・M・シオラン著（出口裕弘訳）紀伊國屋書店
（85）『生まれてこないほうが良かった』ディヴィッド・ベネター著（小島和男・田村宣義訳）すずさわ書店

ジン・プランク

1948年、新潟県に生まれる。
千葉県在住。

生と死はメビウスの輪

2021年4月20日　初版第1刷発行

著　　者　ジン・プランク
発 行 者　中 田 典 昭
発 行 所　東京図書出版
発行発売　株式会社 リフレ出版
〒113-0021　東京都文京区本駒込 3-10-4
電話 (03)3823-9171　FAX 0120-41-8080
印　　刷　株式会社 ブレイン

ISBN978-4-86641-401-0 C0095
Printed in Japan 2021